Le chemin de l'arbre de vie

L'allégorie de Caïn et Abel

Serge Eymond-Laritaz

Le chemin de l'arbre de vie

L'allégorie de Caïn et Abel

Édition : BoD – Books on Demand,
12/14 rond-point des Champs-Élysées, 75008 Paris
Impression : BoD – Books on Demand, Norderstedt, Allemagne

ISBN : 9782322377046

Dépôt légal : septembre 2021

Du plus profond des brumes regarde vers les étoiles

La terre réfléchira leur lumière.

C'est seulement ici, dans la vie terrestre
où se heurtent les contraires,
que le niveau général de conscience peut s'élever.
Cela semble être la tâche métaphysique de l'homme.
C.G. Jung

Introduction

L'arbre de vie se trouve mentionné pour la première fois dans la Bible à la fin du chapitre 3 du livre de la Genèse. Dans ce chapitre, qui nous parle du jardin d'Éden, on n'a souvent retenu que la soi-disant « faute » d'Adam et Ève qui ont mangé du « fruit défendu ». Mais suite à cet événement important *ils connurent qu'ils étaient nus*[1]. Cette connaissance est dans la vie la naissance à la conscience de la « dualité » ; c'est pour eux l'émergence d'une conscience de leur « moi individuel » (leur ego), de la séparation qui existe entre eux et ce qui les entoure. À partir de là les hommes ont la *connaissance du bien et du mal*. Cet épisode nous dit que l'homme doit vivre selon les lois de cette dualité, qui est sa condition d'existence sur la terre, quelles qu'en soient les difficultés. Mais nous verrons que cette loi peut, non pas être anéantie, mais transfigurée.

Dans le récit de la Création il y a une progression, depuis la Lumière indifférenciée jusqu'à l'homme qui se caractérise, par rapport au reste de la création, par le fait qu'il vit dans la *conscience de la dualité*. Mais rien ne dit que l'homme doit s'en tenir uniquement là et ne pas encore évoluer ; et on a largement oublié que, dans ce même Éden, il y a un autre arbre qualifié

---

[1] Genèse 3:7.

d'*arbre de vie, symbole de la vie en Éternité*. Mais Dieu chasse l'homme de l'Éden pour qu'il n'*avance pas sa main, ne prenne aussi de cet arbre, n'en mange et vive éternellement.*

Qu'est-ce que l'homme pour qu'il ne puisse avoir accès spontanément à cet arbre de vie et en manger ? Que doit-il entreprendre pour accéder à cet arbre et ne pas, au contraire, en rester éloigné, voire s'égarer hors du chemin qui y conduit ?

Pour y répondre il faut d'abord considérer que dans la Bible la continuité des récits et la logique de leurs enchaînements sont telles, que pour bien comprendre un passage quelconque il faut alors le replacer dans son contexte. C'est pourquoi une réponse à ces questions est donnée en continuité de l'épisode du jardin d'Éden, soit au début du chapitre 4 du livre de la Genèse. C'est – sous forme d'allégorie – le récit de la brève aventure de Caïn et Abel.

Voir que ce récit répond à ces questions et nous parle du *chemin de l'arbre de vie* peut sembler paradoxal tant le sens commun le perçoit comme étant celui d'un tragique fratricide. C'est pourtant à un autre point de vue que nous convie cet essai.

Si nous cessons d'avoir une lecture littérale et historique des textes bibliques faisant de Caïn et Abel des individus séparés et rivaux, nous comprenons que cette allégorie parle de l'homme au plus profond et au plus essentiel de lui-même. Le texte nous présente en quelques lignes ce départ de l'homme vers l'Éden et l'arbre de vie, ainsi que du chemin qu'il doit parcourir, qu'il doit accomplir conformément à sa vocation. Le récit pointe précisément l'obstacle qu'il rencontre en permanence dans cette pérégrination et qu'il devra surmonter, mais sur lequel souvent il trébuche l'empêchant ainsi d'atteindre ce but. Mais ce possible faux pas donnera quand même à l'homme l'occasion d'apprendre quelque chose l'aidant à poursuivre sa route. Ainsi, cette aventure ne se conclura pas par un échec total puisque la rédemption lui est toujours offerte et lui permettra de repartir pour tenter d'atteindre un jour *l'arbre de vie*, et goûter la vie en *Éternité*.

Qu'est-ce que cette vie *en Éternité* ? C'est une dimension bien souvent cachée de la vie sur la terre car c'est avant tout la connaissance de l'Infini et de l'Éternité au-dedans de soi et c'est aussi, comme le dit Swami Ramdas, « la conscience d'être impersonnel bien davantage qu'une personne individuelle ». Dans un langage plus poétique Mâ Sûryânanda Lakshmî sait bien nous faire sentir ce qu'elle est : « La vie éternelle est l'identité entre la création et l'Absolu, entre la conscience individuelle incarnée et l'Âme ineffable d'où toutes choses procèdent. Elle est l'actuel, lorsque pour la perception humaine le temps et l'espace ont sombré dans le néant et que resplendit le jour infini de la Sagesse. Le visage réel de l'Éternité est la béatitude de la connaissance et de l'amour dans la vie qui les illumine de sa sainteté. »[2]

C'est vers cela que l'homme aspire au plus profond de son cœur et qu'il doit s'efforcer d'accomplir ici-bas : sa « tâche métaphysique » comme le dit C.G. Jung, ou son « destin surnaturel » selon saint Augustin. « La vocation de l'homme est de trouver Dieu » disait également Shrî Anandamoyî Mâ[3], ou encore dans ce même registre enseigné par Mâ Sûryânanda Lakshmî : « Nous sommes nés sur la terre pour monter à Dieu. » Aussi après être né à la dualité, la vocation de l'homme est d'*avancer* pour conquérir et

---

[2] Mâ Sûryânanda Lakshmî, *Exégèse Spirituelle de la Bible, Apocalypse de Jean*, Neuchâtel (Suisse) : À la Baconnière, 1975, p. 9.
[3] Sage hindoue (1896-1982).

naître à cette vie éternelle qui est le vécu de l'Unité. En ce sens l'homme peut vivre *en Éternité* dès ici-bas – et pas seulement, ou forcément – après la mort. Et remarquons bien que le texte ne dit pas que le chemin conduisant à *l'arbre de vie* lui soit définitivement fermé ; il dit simplement qu'il est *gardé* par des *chérubins qui agitent une épée flamboyante* (v. 24).

Notre exégèse de l'aventure de Caïn et Abel examine ce cheminement de l'homme et de l'humanité. Plutôt que de commenter l'histoire d'un tragique fratricide, elle tente de nous faire sentir en quoi ce récit est le propre de l'homme. Dans cette perspective elle essaie de nous amener à une compréhension spirituelle et par là une meilleure connaissance de nous-même et de la vie.

Cette exégèse, différente sur bien des points de celle des commentaires habituels, a pu être menée grâce à la conjugaison de plusieurs approches : un recours fréquent à l'hébreu mais sans ignorer l'apport des traductions françaises, une intériorisation du récit et l'enseignement de la Sagesse hindoue, en particulier celui d'une contemporaine en Occident : Noutte Genton-Sunier, également appelée Mâ Sûryânanda Lakshmî[4].

L'intériorisation et la Sagesse hindoue sont comme les deux faces d'une même médaille qui nous aide à pénétrer plus à fond dans la compréhension des textes sacrés. Le Père Henri le Saux a

---

[4] Originaire d'une famille protestante, mère de quatre enfants, elle a vécu en Suisse (1918-1996). Disciple de Shrî Aurobindo elle a vécu au plan mystique l'union entre la foi chrétienne et la spiritualité hindoue. Elle a écrit plusieurs livres et donné de très nombreux cours et conférences pour expliquer de manière approfondie tant les écritures bibliques que les écritures sacrées hindoues. Elle a été aussi « la Mère » pour accompagner tous ceux qui ont suivi cet enseignement.

merveilleusement résumé ce que cette Sagesse peut apporter à l'Occident : « Le secret de l'Inde c'est l'appel au-dedans, l'ouverture au-dedans, toujours plus au-dedans ; non point l'enseignement de quoi que ce soit de nouveau, mais simplement l'éveil à ce qui est, au sein du fond. »[5]

Ce mouvement constant vers le dedans apporte à cette spiritualité le sens de l'Unité de toute la vie – de l'identité entre la création et l'Absolu – que l'Occident a largement perdu au profit d'une optique plus dualiste. Or cette optique a eu tendance à privilégier une compréhension des textes bibliques dans un sens historique et moral, leur ôtant du même coup une grande part de leur saveur et de leur parfum. Le judaïsme et le christianisme doivent s'efforcer de comprendre que ce n'est qu'en intériorisant les textes sacrés qu'ils peuvent être compris au plus haut de leur Vérité, donc en s'efforçant de dépasser une lecture purement intellectuelle et mentale.

L'hébreu à la fois sous-tend cette démarche et en parachève l'harmonie. A. Chouraqui nous en trace les contours : « L'hébreu est la langue de la vision, faite pour évoquer l'image, le mouvement, l'expression concrète du geste – davantage que pour l'analyse subtile des idées. Langue d'un savoir global, d'une révélation concrète – davantage que d'une réflexion abstraite – dont le génie arrache la pensée à l'abstraction pour la livrer à l'impératif de l'acte. »[6]

Mâ Sûryânanda Lakshmî, qui a su incarner à la fois la Sagesse hindoue et une approche spirituelle des textes bibliques, explique dans l'introduction de l'un de ses ouvrages : « Toute chose, tout

---

[5] *Les yeux de lumière*, Paris : Le Centurion, 1979, p. 75.
[6] André Chouraqui, *La vie quotidienne des Hébreux au temps de la Bible*, Paris : Hachette, 1971, p. 61.

événement, tout être comporte d'innombrables significations sur les différents degrés de sa présence intégrale, visibles dans les domaines de l'intellect et du concret, invisibles et impalpables dans le psychisme, le supra-mental et le spirituel aussi bien qu'à l'autre extrémité, dans le subconscient et l'inconscient. Son sens immédiat, son aspect terrestre n'est qu'un faible degré de sa plénitude et non le plus important. La perception spirituelle consomme et révèle sa réalité ; l'extase l'accomplit dans sa valeur impérissable. Tout enseignement spirituel n'est de même véritablement compris que s'il est replacé, revécu dans l'optique de la supraconscience lumineuse d'où il vient. »[7]

Dans le sillage de cette pensée, il nous a semblé naturel de rechercher dans ce récit de Caïn et Abel une signification au-delà du seul plan concret et de comprendre comment tous les personnages rencontrés, toutes les situations vécues, peuvent être vus comme des parties de nous-même, des éléments de notre vie. « Lire les Saintes Écritures, c'est obéir à une priorité de l'écoute »[8], dit Erri De Luca, mais à condition de comprendre que cette écoute soit également intérieure. De cette manière l'homme peut retrouver en lui-même l'écho des textes sacrés et croître vers sa Réalité intime énoncée par le Christ dans l'Évangile de Luc (chapitre 17) : *Le royaume de Dieu ne vient pas de manière à frapper les regards (v. 20). On ne dira point : Il est ici, ou : Il est là. Car voici le royaume de Dieu est au-dedans de vous (v. 21).*

Mais dans beaucoup de nos bibles subsiste une erreur de traduction et un malentendu théologique sur le sens de ce dernier verset qui est ainsi traduit : *le royaume de Dieu est au milieu de*

---

[7] Mâ Sûryânanda Lakshmî, *Exégèse Spirituelle de la Bible, Apocalypse de Jean*, Neuchâtel (Suisse) : À la Baconnière, 1975, p. 9.

[8] Erri De Luca, *Noyau d'olive*, Paris : Gallimard, 2004.

(ou *parmi) vous.* Cela n'est pas fidèle au texte grec qui utilise la préposition *entos* signifiant en premier lieu « au-dedans de » ou « à l'intérieur de »[9]. Ce sens est conforté par la très rare utilisation de cette préposition dans tout le Nouveau Testament où elle n'est employée que deux fois : ici et en Matthieu 23:26 où le sens « l'intérieur de » ne peut être dévoyé, puisqu'il s'agit de *l'intérieur* de la coupe et du plat. Elle se différencie alors de la préposition *mesos* signifiant plutôt « au milieu de » ou « parmi » que Luc emploie treize fois dans son Évangile, dès lors que le contexte requiert son usage. Par ailleurs ce qui est traduit habituellement par « royaume » provient dans la Bible grecque du mot βασιλεία (basileia), qui comporte un suffixe d'abstraction (ia) incitant à le traduire plutôt par « règne »[10] ce qui renforce encore le sens de l'intériorité. C'est dire si la parole de Jésus, et de Luc, en faveur de l'intériorité du Royaume de Dieu est incontestable.

Le même type de confusion existe également dans l'Ancien Testament traduit à partir de l'hébreu. Dans celui-ci Dieu s'adresse fréquemment aux hommes, mais lorsqu'Il s'adresse à eux Il parle au cœur de l'homme, dans sa profondeur intérieure, comme le dit le prophète Samuel : *L'Éternel ne considère pas ce que l'homme considère ; l'homme regarde ce qui frappe les yeux, mais l'Éternel regarde au cœur[11].* Pour exprimer cette intériorité l'hébreu utilise le terme קֶרֶב *(quereb)* dans toutes les nombreuses

---

[9] De plus traduire *entos* par « au milieu de » contredit logiquement ce qui est énoncé par ailleurs dans ces versets, car un « milieu » se situerait forcément « *ici* ou *là* ».

[10] C'est en grec ce même mot qui est utilisé dans l'oraison dominicale : « …que Ton règne vienne… »

[11] 1 Samuel 16:7.

expressions voulant signifier « *au-dedans de toi* » ou « *dans ton sein* »[12]. Prenons comme exemple Deutéronome 7:21 : *Ne sois point effrayé à cause d'eux car l'Éternel ton Dieu est au-dedans de toi.* Mais beaucoup de bibles ont traduit cela par « *au milieu de toi* » ce qui trahit le sens du texte original[13]. Par contre lorsque celui-ci veut parler d'une localisation ou d'une orientation, par exemple « *au milieu du Jourdain* », « *au milieu de la ville* », « *au milieu du champ* », il utilise toujours le terme תּוֹךְ (*tovek*). Cette distinction mériterait d'être prise en compte dans les traductions, ce qui certainement les rendrait plus justes et plus proches de l'enseignement du Christ, tel que présenté par Luc.

Mais la théologie chrétienne, qui reste très dualiste et séparant Dieu de sa création, a beaucoup de mal à concevoir cette intériorité et cette Unité entre l'Absolu et sa création. Pourtant les grands mystiques à travers les âges, de l'Orient à l'Occident, et quelle que soit leur origine religieuse, l'ont toujours affirmé. Le remarquable Évangile de Thomas le dit lui aussi, citant les paroles de Jésus : *Le Royaume est le dedans de vous, et il est le dehors de vous. Quand vous vous connaîtrez, alors vous serez connus et vous saurez que c'est vous les fils du Père-le-vivant*[14].

---

[12] Que l'on peut aussi traduire par d'autres expressions exprimant l'intériorité : « en ta matrice » ou « dans tes entrailles » ou « dans ton cœur » comme le fait souvent A. Chouraqui.

[13] Dans le contexte de ce verset, les ennemis que nous ne devons pas craindre ce sont peut-être des ennemis extérieurs, mais bien davantage encore nos ennemis intérieurs qui nous empêchent de *monter vers l'Éternel* car il ne faut jamais oublier que c'est Dieu qui parle « au cœur » de l'homme. Traduire ce verset avec l'expression « au milieu de toi » fait de Dieu un chef de clan, le clan des juifs exclusivement. Dieu n'est pas cela.

[14] Marsanne : Éditions Métanoïa, 1975, Logion 3.

La façon qu'ont les hommes de comprendre les textes sacrés et de croire en Dieu est liée à cette connaissance (ou méconnaissance) rapportée par Thomas, au fait de voir (ou ne pas voir) selon les mots de Teilhard de Chardin qui a écrit : « Par le fait même qu'ils sont des hommes, même les pluralistes pourraient *voir* : ils ne sont que des monistes qui s'ignorent. »[15] Saint Jean de la Croix a donné une belle illustration de cette vérité, lorsque après une grande extase dans un face-à-face avec Dieu il a affirmé : « Lorsqu'on revient de là et que l'on jette à nouveau les yeux sur la terre on ne voit plus que Dieu seul. »

---

[15] Les monistes considèrent que Dieu et sa création sont « Un » alors que les pluralistes (ou dualistes) ne voient pas cette Unité. Dans « *Comment je crois* », tome 10. Éd. du Seuil 1969, p. 104.

Présentation synoptique de deux traductions du texte biblique

Le récit est reproduit intégralement ci-après dans deux traductions françaises assez connues qui se complètent et s'enrichissent mutuellement pour mieux faire vivre le sens du texte biblique.

Parmi toutes les traductions existantes ce choix n'est pas anodin – elles sont en effet relativement contrastées : celle de L. Segond (noté LS lors de l'analyse des versets) est dans un français clair et fluide alors que celle de A. Chouraqui (noté AC lors de l'analyse des versets) peut parfois dérouter ou heurter le lecteur par sa liberté sur le plan formel et grammatical. Mais cette dernière présente un autre avantage qui est celui de coller au plus près au texte hébreu.

Les noms du Divin sont également traduits différemment dans le texte ci-après. A. Chouraqui retranscrit littéralement les quatre lettres du nom hébreu « IHVH » avec en superposition graphique[16] le nom « Adonaï » car IHVH est considéré depuis longtemps comme ineffable. Louis Segond utilise le terme « l'Éternel » qui évoque de manière remarquable le sens spirituel de IHVH. Ceci sera expliqué plus en détail dans l'Appendice.

---

[16] Ce graphisme particulier, propre à A. Chouraqui, n'est pas reproduit dans notre présentation et nous écrirons simplement IHVH.

Ces deux traductions apparaissent dans une composition qui recrée, par des retours à la ligne, les principales pauses notées dans le texte hébreu lui-même pour sa déclamation. Ceci présente l'avantage de rendre le texte plus clair et de faciliter ainsi sa compréhension. Un recours à la source du texte hébreu permettra aussi de mieux approfondir notre réflexion. Quelques versets seront exceptionnellement traduits autrement lors de leur analyse.

Livre de la Genèse, chapitre 4, versets 1 à 16

Cette présentation est organisée en quatre paragraphes qui mettent en évidence les quatre thèmes que nous y avons décelés. Ces thèmes qui fondent notre vie constituent des repères dans la démarche de l'homme et de l'humanité vers sa destinée.

– Versets 1 et 2 : une seconde genèse

– Versets 3 à 8 : le faux pas ou l'erreur d'appréciation de Caïn

– Versets 9 à 14 : les conséquences de cette erreur

– Versets 15 et 16 : la rédemption fait partie du chemin

[1]Adam connut Ève, sa femme ;
Elle conçut et enfanta Caïn et elle dit : j'ai formé un homme avec l'aide de l'Éternel.
[2]Elle enfanta encore son frère Abel.
Abel fut berger et Caïn fut laboureur.

[3]Au bout de quelques temps,
Caïn fit à l'Éternel une offrande des fruits de la terre ;
[4]Et Abel, de son côté, en fit une des premiers-nés de son troupeau et de leur graisse.
L'Éternel porta un regard favorable sur Abel et sur son offrande ;
[5]Mais il ne porta pas un regard favorable sur Caïn et sur son offrande.
Caïn fut très irrité et son visage fut abattu.
[6]Et l'Éternel dit à Caïn :
Pourquoi es-tu irrité, et pourquoi ton visage est-il abattu ?
[7]Certainement, si tu agis bien tu relèveras ton visage, et si tu agis mal le péché se couche à ta porte,
Et ses désirs se portent vers toi : mais toi domine sur lui.
[8]Cependant, Caïn adressa la parole à son frère Abel ;
Mais comme ils étaient dans les champs, Caïn se jeta sur son frère Abel et le tua.

[9]L'Éternel dit à Caïn : Où est ton frère Abel ?
Il répondit : Je ne sais pas ; suis-je le gardien de mon frère ?
[10]Et Dieu dit : Qu'as-tu fait ?
La voix du sang de ton frère crie de la terre jusqu'à moi.
[11]Maintenant tu seras maudit
De la terre qui a ouvert sa bouche pour recevoir de ta main le sang de ton frère.
[12]Quand tu cultiveras le sol, il ne te donnera plus sa richesse.
Tu seras errant et vagabond sur la terre.
[13]Caïn dit à l'Éternel :
Mon châtiment est trop grand pour être supporté.
[14]Voici, tu me chasses aujourd'hui de cette terre ; je serai caché loin de ta face.
Je serai errant et vagabond sur la terre, et quiconque me trouvera me tuera.

[15]L'Éternel lui dit : Si quelqu'un tuait Caïn, Caïn serait vengé sept fois.
Et l'Éternel mit un signe sur Caïn pour que quiconque le trouverait ne le tuât point.
[16]Puis Caïn s'éloigna de la face de l'Éternel
Et habita dans la terre de Nod à l'orient de l'Éden.

¹Adâm pénètre H̲ava, sa femme.
Enceinte, elle enfante Caïn. Elle dit : J'ai acquis un homme avec IHVH.
²Elle ajoute à enfanter son frère, Hèb̲èl.
Et c'est Hèb̲èl un pâtre d'ovins. Caïn était un serviteur de la glèbe.

³Et c'est au terme des jours,
Caïn fait venir des fruits de la glèbe en offrande à IHVH.
⁴Hèb̲èl a fait venir, lui aussi, des aînés de ses ovins et leur graisse.
IHVH considère Hèb̲èl et son offrande.
⁵Caïn et son offrande il ne les considère pas.
Cela brûle beaucoup Caïn, ses faces tombent.
⁶IHVH dit à Caïn :
Pourquoi cela te brûle-t-il, pourquoi tes faces sont-elles tombées ?
⁷N'est-ce pas que tu t'améliores à porter ou que tu ne t'améliores pas, à l'ouverture la faute est tapie ;
À toi, sa passion. Toi gouverne-la.
⁸Caïn dit à Hèb̲èl son frère …
Et quand ils sont au champ, Caïn se lève contre Hèb̲èl, son frère, et le tue.

⁹IHVH dit à Caïn : Où est ton frère Hèb̲èl ?
Il dit : Je ne sais pas. Suis-je le gardien de mon frère, moi-même ?
¹⁰Il dit : Qu'as-tu fait ?
La voix des sangs de ton frère clame vers moi de la glèbe.
¹¹Maintenant tu es honni,
Plus que la glèbe dont la bouche a béé pour prendre les sangs de ton frère de ta main.
¹²Oui tu serviras la glèbe : elle n'ajoutera pas à te donner sa force.
Tu seras sur la terre mouvant, errant.
¹³Caïn dit à IHVH :
Mon tort est trop grand pour être porté.
¹⁴Voici, aujourd'hui tu m'as expulsé sur les faces de la glèbe. Je me voilerai faces à toi.
Je serai mouvant, errant sur la terre : et c'est qui me trouvera me tuera.

¹⁵IHVH lui dit : Ainsi, tout tueur de Caïn subira sept fois vengeance.
IHVH met un signe à Caïn pour que tous ceux qui le trouvent ne le frappent pas.
¹⁶Caïn sort faces à IHVH
Et demeure en terre de Nod au levant de l'Éden.

Celui qui monte ne s'arrête jamais d'aller
de commencement en commencement
par des commencements qui n'ont jamais de fin.
Grégoire de Nysse

Une seconde genèse

v. 1-a

LS : *Adam connut Ève, sa femme ;*

AC : *Adâm pénètre Hava, sa femme.*

On a trop souvent traduit ce premier verset comme s'il s'agissait de deux individus prénommés Adam et Ève. En fait il commence par le mot *adam* précédé d'un article, (הָאָדָם) soit « *l'adam* ». Il s'agit alors, non pas d'un nom propre désignant un individu, mais d'un nom commun qui signifie « l'homme » au sens générique, c'est-à-dire « l'être humain »[17]. Parfois le texte hébreu met au pluriel le verbe dont il est le sujet (par exemple en Genèse 1:26), ce qui nous indique que *adam* peut aussi servir de nom collectif et qu'il serait alors possible de le traduire par « l'humanité ». Ainsi ce texte nous dit qu'il s'agit, non pas de deux personnes mises dans une situation particulière, mais de l'être humain dans sa nature profonde, intime et essentielle.

Notons également que dès le début du récit les deux traductions citées se différencient par le fait qu'elles utilisent (et vont ensuite utiliser) deux temps de conjugaison différents : passé et présent.

---

[17] Quelques bibles, dont la TOB, le traduisent ainsi.

« Le temps de l'action, qui est l'essentiel pour l'Occidental, n'a pour l'hébreu qu'une importance secondaire et n'est d'ailleurs jamais explicite. […] Pour les Hébreux la date d'un événement ne ressort jamais que de sa nature et de son caractère : la conception de la durée est globale et concrète. […] Nulle part mieux que chez eux il n'est inévitable de voir toute chose en Dieu, *sub specie aeternitatis*. Le passé et le futur se rencontrent dans la totalité du réel, dont ils naissent, où ils se confondent et dans une certaine mesure s'effacent dans la transcendance qui les fonde. »[18]

Ainsi le mode verbal utilisé en hébreu pour qualifier une action ne se réfère pas forcément à une notion temporelle. Mais comment rendre compte en français d'un texte hébreu, et en particulier de ce premier verset : au passé ou au présent ? Cela dépend bien entendu du contexte, mais il faut aussi voir qu'en général l'emploi d'un verbe au passé a tendance à nous renvoyer aux horizons de l'histoire alors que le présent facilite l'intériorisation en rendant les événements et les faits rapportés palpablement présents et vivants en nous. Notre texte mérite d'autant plus l'utilisation du présent qu'il n'appartient pas à l'histoire et la traduction de A. Chouraqui éveille mieux en nous sa dimension intemporelle.

Dès lors nous voyons que ce texte s'adresse – ici et maintenant – à tous les hommes, non pas pour leur raconter une histoire du passé, mais pour les instruire sur leur démarche spirituelle dans la vie.

---

[18] André Chouraqui, *op. cit,* p. 170.

L'adam connaît/fait l'expérience de/pénètre/comprend Ève, sa femme.

Le nom des personnages dans la Bible désigne toujours la qualité de celui qui le porte ou la qualité qu'il incarne, qu'il personnifie, car « pour les Sémites le nom est identique à la réalité qu'il désigne »[19]. Souvenons-nous de cela tout au long du récit.

Commençons par examiner ce que veut dire le nom de *Ève*, ou *Ḥava* (חַוָּה), *sa femme*. Son nom est identique à celui de sa racine (חַוָּה) exprimant la vie ; elle est donc *la vie* ou *la vivante*. L'homme doit connaître, pénétrer, comprendre et aimer cette vie qui est en lui-même, *celle qui est os de ses os et chair de sa chair*[20].

L'adam connaît/fait l'expérience de/pénètre/comprend... Le verbe utilisé יד (*yada*) a de nombreux sens et nous n'avons cité ici que ceux qui s'appliquent à la vie. Le plus souvent il est traduit par *connaître*. Notons que co-naître c'est « naître avec » ou « naître en commun » ce qui renvoie étymologiquement à une gnose intime avec laquelle nous croissons et nous devenons. Il signifie aussi « prendre en considération ». *Faire l'expérience de*, c'est connaître intimement, faire corps avec ce que l'on est amené à rencontrer. C'est aussi accomplir, ce qui engage l'homme dans toutes les dimensions de sa vie. *Pénétrer* exprime à la fois un mouvement vers le dedans et un approfondissement. A. Chouraqui, qui utilise ici ce verbe, précise dans le glossaire de sa Bible que ce verbe est équivalent à *connaître*[21]. Ainsi ce verbe *yada*, bien que

---

[19] André Chouraqui. *Le Coran*, note sur la Sourate 1, Paris : Robert Laffont, 1990.
[20] Genèse 2:23.
[21] Ce sens est bien réel, mais un peu oublié de nos jours.

n'excluant pas le sens concret des relations entre un homme et une femme[22], va bien au-delà en exprimant le fait de connaître intimement la vie, de parvenir à la pénétrer et la comprendre sur tous les plans qu'elle recèle, aussi bien dans le visible que dans l'invisible.

Par cette pénétration l'homme doit épanouir et accomplir cette vie pour devenir ainsi fécond sur tous les plans de l'existence. Cet accomplissement se manifestera concrètement, comme toujours dans la Bible, par un enfantement terrestre, mais « son sens immédiat, son aspect terrestre n'est qu'un faible degré de sa plénitude et non le plus important. »[23]

v. 1-b et 2-a

LS : *Elle conçut et enfanta Caïn et elle dit : j'ai formé un homme avec l'aide de l'Éternel. Elle enfanta encore son frère Abel.*

AC : *Enceinte, elle enfante Caïn. Elle dit : J'ai acquis un homme avec IHVH. Elle ajoute à enfanter son frère, Hèb̠èl.*

Enceinte, elle enfante Caïn : c'est la vie qui enfante la vie.

J'ai acquis ... avec IHVH. Ève la vivante perçoit que cette fécondation nouvelle vient avant tout de Dieu beaucoup plus que d'un homme. Autrement dit elle voit au-delà du seul plan concret,

---

[22] Il est regrettable que les traductions les plus récentes, telles la TOB révisée, la Segond 21, la Bible liturgique, voulant sans doute épouser la pensée dominante de notre siècle, n'aient vu dans ce verset que le sens d'une relation sexuelle entre un homme et une femme. Ceci restreint fortement la signification de ce verset et de l'ensemble du récit. Surtout une telle vision du texte ne nous apprend pas grand-chose sur le plan spirituel. Or le rôle d'un texte sacré c'est justement de nous apprendre quelque chose sur ce plan-là.

[23] Mâ Sûryânanda Lakshmî, *op.cit.*, p. 9.

au-delà de l'évidence matérielle, et perçoit que toute vie vient de Dieu. Par cette parole Ève nous invite à considérer que dans la Bible tout enfantement peut être également vu, compris, comme une fécondité de l'Esprit. Ce sera plus explicitement le cas lors de la promesse faite par Dieu à Abraham de le *multiplier à l'infini*[24]. En effet, « la postérité accordée par l'Éternel-Dieu est toujours spirituelle même si elle se manifeste par des formes, des êtres vivants dans le monde. Car l'incarnation n'a pas d'autre sens et point d'autre but que de révéler l'Éternel à la conscience de l'univers. »[25] Cette parole d'Ève éveille l'homme et l'humanité à un niveau de connaissance plus élevé que celui du seul plan moral et matériel.

Et effectivement Ève ne dit pas qu'elle a acquis un fils ou un enfant, comme nous le dirions en ne nous référant qu'à l'évidence matérielle, mais dit qu'elle a *acquis un homme-mâle*[26]. Cette acquisition *avec l'aide de l'Éternel* représente en elle-même une force et surtout une maturité plus grande, c'est-à-dire une connaissance de soi et une connaissance plus approfondie de la vie.

Elle ajoute à enfanter son frère, Hèbèl. Ici le verbe utilisé יסף *(yasaf)* veut dire *continuer à* ou *ajouter.* Ce verbe exprime très bien que Caïn n'est pas un individu pouvant se suffire à lui-même, autre chose doit lui être *ajouté.* Il situe également Abel dans la continuité par rapport à Caïn. Il apparaît comme la suite

---

[24] Genèse 17:2.

[25] Mâ Sûryânanda Lakshmî, *op. cit.*, p. 115.

[26] Excusez cet apparent pléonasme, mais c'est à notre avis la meilleure façon de rendre le sens du texte hébreu qui ici n'utilise plus le terme générique et indifférencié de *l'adam* mais campe cet homme *(ish)* dans sa spécificité par rapport à la femme *(isha).*

naturelle de Caïn comme s'il n'était pas possible qu'il vienne sans lui et comme si Caïn ne pouvait être pleinement sans son frère. Il s'agit alors non pas de deux enfants nés indépendamment l'un de l'autre, mais d'un enfantement unique avec deux aspects différents et formant un tout.

Sur le plan terrestre on peut aussi les voir comme frères jumeaux car le contexte et surtout le verbe *yasaf* contiennent en filigrane cette notion de gémellité[27]. La tournure de ce verset appuie cela puisqu'elle met en premier le mot *frère* avant de préciser qu'il se nomme Abel. Dans toute la suite du texte ce qualificatif de « frère de » reviendra avec insistance puisqu'en seulement seize versets il est utilisé *sept* fois[28]. Ils sont inséparables et ceci sera confirmé plus loin dans le récit puisque la disparition d'Abel aura des conséquences fâcheuses pour Caïn, et cela non pas au sens moral mais au sens ontologique. Ensemble ne représentent-ils pas l'être humain dans son unité et sa totalité ?

v. 2-b
LS : *Abel fut berger et Caïn fut laboureur.*
AC : *Et c'est Hèbèl un pâtre d'ovins. Caïn était un serviteur de la glèbe.*

Que sont en nous Caïn et Abel ?

Si nous nous plaçons résolument dans une attitude d'écoute du texte nous pouvons comprendre que non seulement leur nom

---

[27] Ayant très souvent en mémoire le récit très connu des deux jumeaux Esaü et Jacob qui sont de manière très explicite qualifiés comme tels dans la Bible, nous avons du mal à concevoir que Caïn et Abel puissent l'être également, tant notre texte souligne moins explicitement cette particularité.

[28] Ce chiffre est, comme nous le verrons ultérieurement, celui de la plénitude.

hébreu nous éclaire, mais aussi que leur activité n'est pas mise là comme une simple indication du décor dans lequel se joue cette scène. Elle a au contraire une signification profonde sur ce qu'ils sont.

La psychologie actuelle reconnaît qu'il y a en l'homme une multitude de niveaux de conscience et la Sagesse de l'Inde le savait également. Elle a identifié sept plans principaux qui sont représentés dans notre structure corporelle par les sept « chakras ». Cela a été fréquemment attesté par les Sages des temps anciens et confirmé, parce que revécu, par les plus grands Sages contemporains, notamment en Occident par Mâ Sûryânanda Lakshmî (voir en Annexe la définition qu'elle en a donnée). Nous allons justement retrouver ces différents plans en Caïn et Abel.

Le nom de Caïn, d'après son étymologie, exprime *la possession* car il vient d'une racine קנה (*qanah*) signifiant *posséder, acquérir*. Par ailleurs son activité est d'être *serviteur de la glèbe/terre*. Ici le verbe utilisé pour cette activité signifie bien plus que le simple fait d'être laboureur ou agriculteur car sa racine עֹבֵד (*'avad*) veut dire non seulement *travailler* mais également *servir*. Non loin après cette indication, au verset 17 du même chapitre, nous retrouverons Caïn en train de *bâtir une ville*. Il est clair qu'il représente en nous les éléments qui doivent s'occuper des aspects matériels et vitaux propres à toute vie ici-bas. Effectivement la vie de l'homme sur la terre requiert cette activité et ce service sous quelque forme que ce soit. Vivre sur la terre c'est agir, et cela à tous les stades de notre existence de la conception à la mort, ainsi que le dit Swami Ramdas : « Le travail est la forme naturelle de la vie, parce que la vie elle-même est activité. »[29] Il

---

[29] Grand Sage de l'Inde (1884-1963). *Présence de Râm*, Paris : Albin Michel, 1997, p. 69.

en est ainsi pour les plantes qui doivent d'abord grandir puis donner une fleur puis une graine ou un fruit, et de même pour les animaux qui doivent croître, chercher leur nourriture, puis transmettre à leur tour la vie.

Ainsi Caïn représente en nous les trois plans de conscience du visible : *les plans physique, vital et mental.* Tous ces plans sont caractéristiques de toute vie sur la terre et sans eux elle n'apparaîtrait pas, ni ne pourrait se maintenir. Soulignons que le mental est le propre de l'homme et que « le mental c'est la perception des sens et l'intelligence relative des dualités. Dans ce sens il fait aussi partie du visible au même titre que le physique et le vital »[30]. Par ces trois plans l'homme partage avec les autres éléments de la création les principes *d'existence, de vie et d'intelligence.* S'il en prenait vraiment conscience il la respecterait sans doute mieux.

Si Caïn vient en premier c'est qu'il représente les fondations mêmes, le socle, de cette vie manifestée sur la terre et que sans lui elle ne serait pas, et qu'Abel ne pourrait être non plus, car « l'action est la base aussi bien que le couronnement de toutes les manifestations de la vie »[31].

De son côté le nom de Abel (הֶבֶל) signifie *souffle* ou *nuée, buée,* ou encore *ce qui est sans consistance matérielle.* Le souffle évoque en premier lieu la vie. La nuée/buée paraît au premier abord immatérielle, impalpable, et ne se perçoit que par ses conséquences concrètes, par exemple la rosée du matin. L'activité d'Abel est d'être un *berger/pâtre* ; il est celui qui conduit le troupeau, le nourrit, le garde et prend soin de lui. Cette référence

---

[30] Mâ Sûryânanda Lakshmî, *op. cit.*
[31] Swami Ramdas, *op. cit.*, p. 74.

au berger en tant que gardien et guide se retrouve à plusieurs reprises dans la Bible, tant dans l'Ancien Testament (par exemple au psaume 23), ainsi que dans le Nouveau Testament (par exemple Jean 10:11).

Abel incarne ce qui ne se voit pas, ce qui demeure impalpable comme un souffle, mais est essentiel à la vie, à l'existence et à l'accomplissement de l'homme, tout aussi essentiel que le berger pour la vie de son troupeau. Sans le berger le troupeau ne serait pas ; ainsi sans Abel l'homme également ne serait pas. Il personnifie les différents *plans spirituels*, c'est-à-dire l'invisible en nous ou, autrement dit, l'âme et l'Esprit en l'homme. Selon Mâ Sûryânanda Lakshmî, par ces plans de l'invisible l'homme a en lui les principes de *la Connaissance, de la Sagesse et de l'Amour*. Son rôle spécifique dans la création – sa tâche métaphysique – est de les faire grandir et ne pas les tuer, ce qu'il a beaucoup de mal à accomplir comme la suite du récit va le montrer.

Caïn et Abel représentent donc tous les plans de la conscience et de la vie que l'homme doit faire évoluer pour monter à Dieu. Leur enfantement inaugure le départ puis la démarche que l'homme doit entreprendre sur le chemin vers *l'arbre de vie*, vers la *révélation de l'Éternel* en lui-même et dans le monde. Il est en quelque sorte une seconde *genèse* pour l'éveil de sa conscience à sa Vérité.

Par cette seconde genèse l'homme *pénètre le mystère de la vie*. Ici nous rejoignons l'un des enseignements de l'Inde : alors que l'Occident explore très à fond toutes les manifestations de la vie, l'Inde s'est penchée prioritairement sur la connaissance (pénétration) de la vie elle-même.

Cette genèse n'est pas un moment historique car ce mot vient du grec *genesis*, traduction de l'hébreu בְּרֵאשִׁית *(berechit),* signifiant « dans un commencement » (plutôt que *au* commencement) exprimant par là un commencement éternel et toujours nouveau. Il est donc de notre nature de vivre ce commencement et ce chemin. Mais sur celui-ci nous rencontrons un obstacle majeur, matrice unique de tous les autres obstacles que nous pouvons à l'occasion rencontrer. C'est précisément le mérite de l'allégorie de Caïn et Abel de bien nous faire sentir la consistance de cet obstacle afin que nous puissions un jour le dépasser. Ce sont souvent les tribulations de la vie qui nous amènent à en prendre conscience, nous montrent la voie et nous poussent plus loin vers cet Infini et cette Éternité au-dedans de nous.

Les Écritures saintes sont difficiles à comprendre,
il y faut beaucoup d'oraison.
Sainte Thérèse d'Avila

Le faux pas ou l'erreur d'appréciation de Caïn

v. 3 et 4-a

LS : *Au bout de quelques temps,*
Caïn fit à l'Éternel une offrande des fruits de la terre ;
Et Abel, de son côté, en fit une des premiers-nés de son troupeau et de leur graisse.

AC : *Et c'est au terme des jours,*
Caïn fait venir des fruits de la glèbe en offrande à IHVH.
Hèbèl a fait venir, lui aussi, des aînés de ses ovins et leur graisse.

Au terme des jours : Caïn et Abel doivent d'abord croître et se fortifier selon la loi de la vie, qui est la loi de l'Éternel, avant de pouvoir faire une *offrande*. Ce *quelque temps* ou ce *terme des jours* il n'est pas dit quel il est, ce qui laisse supposer qu'il n'est pas quantifiable, ni forcément temporel car en général quand la Bible veut indiquer une durée elle donne un chiffre, même symbolique. Ce *terme des jours* indique simplement qu'il s'agit d'une étape dans la vie, étape qui sera justement marquée par l'offrande qu'ils vont faire à l'Éternel.

Chacun *fait venir*... Le verbe utilisé ici signifie : *faire venir, amener, apporter, récolter.* Chaque plan en nous offre à l'Éternel ce qui le caractérise et ce qu'il est capable de faire venir et récolter du fond de lui-même et de sa vie : pour Caïn les produits de la terre, pour Abel ses animaux – les premiers-nés – avec leur graisse[32]. Chacun offre tout simplement le fruit de son travail, ce qu'il a pu faire croître dans sa propre vie et dans le monde, donc en définitive ce qu'il a acquis tant à l'intérieur qu'à l'extérieur de lui-même.

Les deux offrandes sont ainsi l'exact reflet de ce que chacun est car l'offrande faite à Dieu n'est pas quelque chose *là-dehors* comme un cadeau fait à M. X ou Mme Y. En réalité l'homme ne peut offrir à l'Éternel que ce qu'il est. Les offrandes sont alors forcément personnifiées, mais rien dans le texte ne permet de penser qu'une offrande ait plus de valeur intrinsèque ou soit meilleure que l'autre. Elles paraissent également valables bien que de nature différente. Leur valeur aux yeux de l'Éternel est uniquement dans la sincérité de cœur et l'amour avec lesquels elles sont faites, comme le dit le Seigneur Krishna dans la *Bhagavad-Gîtâ* : « Celui qui M'offre avec dévotion une feuille, une fleur, un fruit, une coupe d'eau – cette offrande d'amour venue d'une âme qui s'efforce, M'est agréable » (9:26).

D'autres caractéristiques de ces offrandes nous éclairent un peu plus sur Caïn et Abel en nous-même. Tout d'abord, souvenons-nous que traditionnellement le peuple juif consacrait tout premier-né à l'Éternel ce qui souligne le caractère spirituel de l'offrande d'Abel, alors que celle de Caïn est le reflet du travail matériel (les produits de la terre). Ensuite considérons que les *premiers-nés* d'Abel ce sont aussi les *aînés* ce qui signifie que son offrande est placée sous le sceau de la maturité, tandis que les

---

[32] Cette *graisse,* que nous délaissons si aisément dans nos civilisations repues, symbolisait chez ces populations nomades à la fois la richesse et une promesse de pérennisation de la vie, car seuls les animaux bien gras pouvaient survivre dans les conditions parfois rudes de cette époque.

produits de la terre de Caïn sont ceux de la fraîcheur de la récolte et de la saison. Cette différence de maturité existe également en nous-même entre nos différents plans de conscience. Ici il apparaît que Caïn a manqué de maturité lorsqu'il a entrepris son offrande, ce qui sera confirmé dans la suite du récit.

Remarquons aussi que Caïn et Abel agissent chacun de leur côté, mais il semble, d'après le texte, que Caïn ait agi en premier. Déjà pointe ici une première erreur : les différents plans de vie de l'homme ne sont pas unis dans ce moment d'offrande, ce qui n'est vraisemblablement pas juste aux yeux de l'Éternel. Erreur universelle de l'homme que dénonce Jésus (Mathieu 15:8), rappelant ce que Isaïe avait dit : *Quand ce peuple s'avance, de sa bouche et de ses lèvres il me glorifie, mais son cœur est loin de Moi[33]*.

De cette différence de maturité et de ce manque d'union des différents plans de la vie, il résulte pour chacun des deux frères une appréciation différente du regard de l'Éternel.

v. 4-b et v. 5-a

LS : *L'Éternel porta un regard favorable sur Abel et sur son offrande ;*
    Mais il ne porta pas un regard favorable sur Caïn et sur son offrande.

AC : *IHVH considère Hèbèl et son offrande.*
    Caïn et son offrande il ne les considère pas.

Une lecture trop rapide de la traduction de L. Segond pourrait nous induire en erreur sur le sens de ce verset, mais la traduction de A. Chouraqui nous aide à ne pas tomber dans cette erreur. Le verbe utilisé ici signifie tout simplement *regarder* ou *considérer*, et rien n'y est ajouté. Il n'est nullement dit que Dieu porta un

---

[33] Isaïe 29:13.

regard défavorable sur Caïn et son offrande. Il ne s'agit donc pas ici d'une appréciation ni d'un jugement de l'Éternel s'appuyant sur la qualité apparente des offrandes.

La parole de Krishna citée au verset précédent nous aide à mieux comprendre ce verset. Elle nous dit que l'offrande d'une feuille est pour le Seigneur tout aussi agréable que celle de quelques autres biens apparemment plus précieux, dès lors qu'il s'agit d'une offrande d'amour « venue d'une âme qui s'efforce ». Cette nature différente des offrandes représente la sensibilité et l'attitude différentes que nous pouvons avoir dans telle ou telle circonstance, par exemple l'intelligence mentale peut être bien disposée mais le cœur n'y est pas. Lorsque l'offrande est agréable au Seigneur Il la considère, mais sinon Il ne la considère pas ou ne la regarde pas. Nous verrons plus loin qu'effectivement il y a un manque d'amour chez Caïn.

Même si, comme le dit Maïmonide[34], « la Bible utilise le langage des hommes », ceux-ci doivent toujours être attentifs à se défaire d'une vision anthropomorphique[35] de Dieu. Isaïe, parlant au nom de l'Éternel, l'avait bien dit mais l'homme l'oublie sans cesse : *Mes desseins ne sont pas vos desseins, et vos voies ne sont pas mes voies, dit l'Éternel. Oui, les cieux sont plus hauts que la terre, ainsi mes voies sont plus hautes que vos voies, mes desseins que vos desseins*[36]. Parler d'un regard favorable ou défavorable de l'Éternel montre à quel point l'homme a du mal à comprendre

---

[34] Philosophe, théologien et médecin juif (1138-1204). Il s'opposa à la tendance d'avoir une vision anthropomorphique de Dieu.
[35] Voltaire avait bien compris cette incompréhension des hommes, disant avec humour : *Dieu a fait l'homme à son image et celui-ci le lui a bien rendu.*
[36] Isaïe 55:8-9. Dans cette citation on peut remplacer le terme « desseins » par « pensées », à la convenance de chacun.

Ses desseins et Ses voies. Il a toujours tendance à les ramener à sa propre vision étroite de la vie, plutôt que de s'élever vers ce qu'Il Est.

Cette vision restreinte de la vie est le propre du mental et de l'intellect de l'homme qui demeure souvent impuissant à connaître la Vérité de la vie. Cela a été maintes fois enseigné par les Sages de l'Inde, mais reste en grande partie ignoré en Occident, notamment par la théologie actuelle, comme si n'avait pas été entendu ce que Blaise Pascal avait dit : « C'est le cœur qui sent Dieu, et non la raison. » Il ne s'agit pas ici de dénigrer ce plan mental car il a d'autres facultés nécessaires et indispensables pour l'homme, telles que permettre des progrès considérables dans beaucoup de domaines pour toutes les civilisations. Il s'agit simplement de reconnaître ses limites dans le domaine spirituel.

C.G. Jung a aussi expliqué cela. « La première aberrance consiste à essayer de tout dominer par l'intellect. Elle vise un but secret, celui de se soustraire à l'efficacité des archétypes et ainsi à l'expérience réelle au bénéfice d'un monde conceptuel, apparemment sécurisé, mais artificiel et qui n'a que deux dimensions, monde conceptuel qui à l'aide de notions décrétées claires aimerait bien couvrir et enfouir toute la réalité de la vie. Le déplacement vers le conceptuel enlève à l'expérience sa substance pour l'attribuer à un simple nom qui, à partir de cet instant, se trouve mis à la place de la réalité. Une notion n'engage personne et c'est précisément cet agrément que l'on cherche parce qu'il promet de protéger de l'expérience. Or l'esprit ne vit pas par des concepts, mais par les faits et les réalités. Ce n'est pas par des paroles qu'on arrive à éloigner un chien du feu. Et pourtant on répète à l'infini ce procédé. »[37]

---

[37] Dans *Ma vie*. Éd. Gallimard 1966.

Cette affirmation de Jung corrobore la rédaction des textes bibliques qui n'utilisent pas des concepts, mais mettent en scène des personnages confrontés à des situations et faits concrets. Ce sont bien souvent nos commentaires sur ces textes qui cherchent à « tout dominer par l'intellect ».

Mais ce plan mental de l'homme, ne voyant en Caïn et Abel que des personnages individuels et une dualité entre Dieu et sa création, éprouve le besoin de poser cette question – Pourquoi Dieu préfère-t-il l'offrande d'Abel ? – et de trouver une réponse à son niveau. C'est pourquoi bien des commentateurs ont donné des explications basées sur la *valeur supposée* des offrandes, valeur qui serait ainsi propre à déclencher une préférence ou non de l'Éternel. Mais si nous intériorisons tous les éléments du récit et n'oublions pas que tout cela se passe en nous, rien ne permet de souscrire à cette interprétation. Et surtout la question posée n'est ni juste ni utile car il n'est pas nécessaire de trouver une réponse pour saisir le sens de la suite du récit. Poser cette question c'est ramener à l'homme ce qui concerne l'Éternel et c'est justement faire la même erreur d'appréciation que Caïn, comme nous le verrons au verset suivant. C'est oublier que « pour comprendre l'Esprit de Dieu, la mentalité humaine doit se défaire de la notion de préférence qui est étrangère à la conscience spirituelle »[38].

En réalité dans sa vie de tous les jours, que sait l'homme du regard de l'Éternel ? Rien ou bien peu de choses, même s'il s'imagine savoir ceci ou cela ; mais son imagination le trompe si facilement ! Aussi plutôt que de nous imaginer que notre offrande

---

[38] Mâ Sûryânanda Lakshmî, *Journal Spirituel*, Neuchâtel (Suisse) : Éditions À la Baconnière, 1978, p. 92.

est accueillie favorablement ou non, nous pouvons voir que ce verset reflète, sous une forme condensée, la vie telle qu'elle est. Nous vivons tous des moments qui apparemment nous paraissent propices ou favorables et d'autres qui le semblent moins, des moments où tout semble réussir et ceux où rien ne va, des printemps qui nous offrent une abondante floraison et des hivers où la vie est comme arrêtée. Notre propre projection mentale sur le vécu de ces moments nous fait croire que Dieu porte un regard favorable ou défavorable sur les actions de notre vie. Il ne s'agit pas de cela.

L'Éternel met en scène tous les éléments de la vie terrestre, avec apparemment ses bons et mauvais côtés. Mais en réalité tout est bien, comme le dit le récit de la Création : *Dieu voit tout ce qu'il fait, et voici tout cela est très bon/beau/bien*[39]. En discuter et surtout juger l'Éternel comme le fera Caïn au verset suivant paraît faux. Ici la référence au livre de Job s'impose car cette absence de jugement envers l'Éternel y est merveilleusement présentée. Alors que Job est dépouillé de tout et gravement malade, au lieu de discuter et de juger, il dit : *L'Éternel a donné, et l'Éternel a ôté ; que le nom de l'Éternel soit béni !* puis il répond à sa femme qui lui suggère de maudire Dieu : *Tu parles comme une femme insensée. Quoi ! Nous accepterions de Dieu le bien, et nous n'accepterions pas aussi le mal*[40] !

De ce mal apparent, ou plutôt de cette sévérité de l'Éternel, Rabindranath Tagore dans un de ses poèmes en parle très bien et nous en donne le sens :

---

[39] Gn. 1:31.
[40] Job 1:20 puis 2:10.

« Mes désirs sont nombreux et ma plainte est pitoyable,
mais par de durs refus Tu m'épargnes toujours ;
et cette sévère clémence, tout au travers de ma vie, s'est ourdie.
Jour après jour tu me formes digne des grands dons simples
que tu répands spontanément sur moi :
ce ciel et la lumière, ce corps et la vie de l'esprit,
m'épargnant les périls de l'excessif désir.
Parfois languissant je m'attarde ;
parfois je m'éveille et me hâte en quête de mon but ;
mais alors cruellement Tu te dérobes de devant moi.
Jour après jour Tu me formes digne de ton plein accueil :
en me refusant toujours et encore,
Tu m'épargnes les périls du faible, de l'incertain désir[41]*. »*

« Cette sévère clémence » de l'Éternel, qui est celle de la vie, nous la retrouvons dans l'événement qui se présente à Caïn à ce moment-là. Ce que Caïn est en train de vivre dans ce verset c'est tout simplement une épreuve, c'est-à-dire un obstacle dans sa marche vers l'arbre de vie, comme nous en vivons tous dans notre vie terrestre, et comme l'a vécu Job de façon beaucoup plus dramatique. Cette épreuve offre à Caïn l'occasion de connaître l'obstacle intérieur qu'il rencontre au cours de sa pérégrination sur la terre. Mais il ne va pas comprendre et il ne va pas suivre cette voie de s'en remettre uniquement à Dieu, car le sens véritable de l'offrande c'est de s'oublier soi-même face à Lui. Ce sera justement l'instruction que lui donnera l'Éternel au verset 7. Mais pour l'instant voici justement comment Caïn perçoit cet événement et ce qu'il en ressent.

---

[41] Rabindranath Tagore, *L'Offrande lyrique*, poème 14, Paris : Gallimard, 1963.

v. 5-b

LS : *Caïn fut très irrité et son visage fut abattu.*

AC : *Cela brûle beaucoup Caïn, ses faces tombent.*

Le texte hébreu utilise un vocabulaire très imagé pour exprimer cela : son sentiment le *brûle* de l'intérieur et son visage est défait – *ses faces*[42] *tombent.* Caïn n'a pas vécu la situation selon la Vérité divine, il ne s'est pas élevé jusqu'aux *desseins de l'Éternel.* Devant l'événement qui se présente à lui il aurait pu se dire « les voies du Seigneur sont impénétrables », et les accepter humblement sans maugréer. Au contraire de cela il reste centré uniquement sur son moi individuel c'est-à-dire qu'il reste attaché à son ego et son intérêt immédiat, donc égoïste. À cause également de son orgueil qui sera révélé quelques versets plus loin, il n'a pas voulu accepter et suivre *les voies de l'Éternel,* mais les a ramenées à sa propre mesure. Sa réaction se situe alors à la hauteur de son propre désir, de ce qu'il attendait dans sa vie.

Son attitude, outre le manque d'amour envers l'Éternel, peut également refléter un manque de maturité. Dans sa sagesse l'Ecclésiaste (Qohèlet) dit : *Il existe un moment et un temps propice pour toute affaire* (ou *désir*) *sous les cieux*[43]. Notons que le texte dit *sous les cieux* et non pas *sur la terre,* c'est-à-dire sous le regard de l'Éternel et non pas selon la volonté de l'homme. Jésus a enseigné la même chose à ses disciples lorsqu'il a dit : *J'ai encore beaucoup de choses à vous dire mais vous ne pouvez*

---

[42] En hébreu le mot traduit par *faces* est toujours au pluriel. Les linguistes voient dans ce mot au pluriel une marque de « superlatif intensif » propre aux langues sémitiques. Ici nous voyons davantage l'expression que l'homme a de nombreux visages, de nombreux personnages en lui-même.

[43] Ecclésiaste 3:1.

pas les porter maintenant. Quand le Paraclet sera venu, l'Esprit de vérité, il vous conduira dans toute la vérité[44]. Ainsi l'homme doit avoir la maturité requise pour bien comprendre la loi de Dieu et entreprendre la tâche qui l'attend, mais Dieu seul connaît en lui si le temps est propice pour le faire. Vouloir s'abstraire de ce *temps de Dieu* qui est ce *temps de la vie* et doit être en *harmonie en toute affaire,* c'est courir le risque d'un échec.

Pour mieux comprendre cela il faut se référer à un autre récit biblique qui se situe en fin du chapitre 14 du livre des Nombres puis est repris dans le Deutéronome au chapitre 1. Après leur sortie d'Égypte les fils d'Israël se rebellent contre Moïse et l'Éternel, puis se rendant compte de leur erreur ils se repentent et veulent alors, sans tarder, combattre leurs ennemis. Mais l'Éternel intervient et dit : *Ne montez pas et ne combattez pas, car Je ne suis pas dans votre sein.* Les Hébreux n'écoutent pas cette voix et partent combattre audacieusement. Il s'ensuit pour eux une sévère défaite. Au retour de cette défaite ils pleurent auprès de l'Éternel, mais Moïse dans le Deutéronome précise que cette fois *L'Éternel n'écouta pas votre voix et ne vous prêta point l'oreille.* À la suite de cet épisode désastreux ils comprennent enfin qu'ils doivent partir vers le désert selon l'ordre qu'ils en avaient, auparavant, reçu de l'Éternel. Après cette longue errance de quarante années dans le désert, c'est-à-dire après ce temps de purification et de maturation absolument nécessaires, ils pourront à nouveau affronter et vaincre leurs ennemis.

La Sagesse hindoue enseigne que *l'offrande* ou le *sacrifice* offert à Dieu signifie *le combat sur le chemin spirituel qui doit être parcouru.* C'est exactement ce que nous venons de voir à propos

---

[44] Év. de Jean 16:12-13.

du combat que doivent mener les enfants d'Israël. Mais ils n'étaient pas suffisamment prêts et purifiés pour obtenir la victoire et c'est aussi ce qui va se passer pour Caïn. Le livre de l'Apocalypse enseigne aussi que cette purification est indispensable pour pouvoir manger de l'arbre de vie : *Heureux ceux qui lavent leur robe afin d'avoir droit à l'arbre de vie*[45].

Dans une perspective d'intériorisation des textes sacrés, qui nous a si bien été enseignée par l'Inde, nous pouvons comprendre que ces ennemis ce sont, pour nous aujourd'hui, avant tout nos ennemis intérieurs qui nous empêchent de *monter* vers l'Éternel, c'est-à-dire de monter vers cette vie en Éternité. Ces ennemis ce sont en premier l'attachement à notre propre ego alors que la vie en Éternité c'est justement « la conscience d'être impersonnel bien davantage qu'une personne individuelle » comme le dit Swami Ramdas. Caïn a voulu « faire une offrande » c'est-à-dire mener un combat contre l'attachement à son ego. Cette offrande engageait une grande partie de sa vie (ce qu'il avait récolté), mais était-il suffisamment prêt pour l'entreprendre ?

La réponse de la vie qui n'est pas négative, mais que Caïn a vécue de manière négative, lui est justement offerte pour qu'il reconnaisse cet obstacle qu'il doit affronter, mais que pour l'instant il ne peut vaincre, ce qui l'a *irrité* et aussi *abattu*.

Si nous sommes un peu attentifs à ce qui se passe dans notre propre vie, nous savons très bien que lorsque nous essayons de dépasser telle ou telle difficulté intérieure, souvent nous n'y parvenons pas tant que le temps n'est pas encore venu. Puis un jour ce temps est là et il nous semble que Dieu a triomphé en

---

[45] Apocalypse 22:14.

nous-même de ces difficultés, comme dans les combats que le peuple d'Israël a dû mener, car tant de fois l'Éternel lui dit à propos de ses ennemis : *Je les livre entre tes (vos) mains.* Cela ne signifie aucunement qu'il faille être passif mais que seules la prière, la dévotion et l'adoration constantes nous mèneront à la maturité requise et nous élèveront vers l'Éternel qui triomphera alors de nos ennemis.

Tout cela se passe en nous et il n'est pas difficile de reconnaître ici l'incompréhension de l'homme face à Dieu et face à son propre cheminement sur la terre pour pouvoir un jour connaître cette vie en Éternité. C'est pourquoi ce fourvoiement va entraîner un enseignement de Dieu.

v. 6
LS : *Et l'Éternel dit à Caïn :*
Pourquoi es-tu irrité, et pourquoi ton visage est-il abattu ?
AC : *IHVH dit à Caïn :*
Pourquoi cela te brûle-t-il, pourquoi tes faces sont-elles tombées ?

L'Éternel interroge Caïn sur sa réaction devant les événements de la vie qui se sont présentés à lui. La question de l'Éternel est en fait : ta réaction est-elle juste ?

Cette interrogation est déjà en soi une instruction et elle évoque Socrate instruisant ses disciples de la même manière afin qu'ils trouvent en eux-mêmes la réponse. Puisque c'est l'Éternel qui interroge Caïn, cela signifie qu'il y a quand même en lui un tout début de prise de conscience à un niveau plus élevé que celui de ses seuls plans physique, vital ou instinctif. Et parfois il nous arrive de percevoir ainsi, de manière très furtive au fond de notre cœur, ce questionnement : pourquoi suis-je mécontent ?

v. 7

LS : *Certainement, si tu agis bien tu relèveras ton visage,*
        Et si tu agis mal le péché se couche à ta porte,
        Et ses désirs se portent vers toi : mais toi domine sur lui.

AC : *N'est-ce pas que tu t'améliores à porter ou que tu ne t'améliores pas,*
        À l'ouverture la faute est tapie ;
        À toi, sa passion. Toi gouverne-la.

Ici l'instruction de l'Éternel va plus loin et ce verset constitue le pivot central du récit. Il est la réponse de l'Éternel à nos perplexités sur notre rôle ici-bas, car malgré tous ses efforts l'homme ne peut de lui-même répondre à cela. La réponse vient de l'Éternel et de Lui seul.

Bienheureuse instruction pour l'homme qui sait la capter en lui-même, ainsi que le dit le Deutéronome : *Ce commandement que je te prescris aujourd'hui n'est pas dans le ciel, pour que tu dises : Qui montera pour nous au ciel et nous l'ira chercher, qui nous le fera entendre afin que nous le mettions en pratique ? Il n'est pas de l'autre côté de la mer pour que tu dises : Qui passera pour nous de l'autre côté de la mer et nous l'ira chercher, qui nous le fera entendre afin que nous le mettions en pratique ? C'est une chose, au contraire, qui est tout près de toi, dans ta bouche et dans ton cœur, afin que tu le mettes en pratique[46].*

La loi de l'Éternel n'est pas quelque chose d'extérieur à imposer aux autres, elle est au contraire à rechercher au fond de notre cœur car c'est là qu'elle se découvre pleinement et nous éclaire. Cela n'exclut nullement le fait qu'il soit nécessaire de l'enseigner et de l'étudier, mais signifie que c'est en l'intériorisant qu'elle

---

[46] Deutéronome 30:11-14.

révèle sa plus haute vérité et toute sa puissance. Est-ce pour cela que ce verset est si difficile à traduire et que, par exemple, les deux traductions citées sont obscures et ne coïncident pas vraiment, comme si nous avions tous du mal à capter l'enseignement de Dieu ? Dans le livre du prophète Isaïe, l'Éternel avait bien souligné cette difficulté : *Va et dis à ce peuple : Vous entendrez et vous ne comprendrez point ; vous verrez et ne saisirez point*[47].

Toutefois cette difficulté n'est pas insurmontable et sainte Thérèse d'Avila nous donne un conseil précieux pour entreprendre son dépassement : « Pour bien comprendre les Écritures saintes il y faut beaucoup d'oraison. » Par ailleurs un recours systématique à l'hébreu qui est « la langue de la vision, faite pour évoquer l'image, le mouvement, l'expression concrète du geste »[48] peut devenir une source d'autres éclairages pour nous aider à mieux saisir l'esprit de ce texte. Alors oublions ces traductions pour nous pencher sur le texte original traité mot à mot.

1/ הֲלוֹא אִם־תֵּיטִיב שְׂאֵת
N'est-ce pas que si tu agis bien, (c'est) une élévation/dignité ?[49]

Le premier enseignement de Dieu explique le sens de l'offrande et de la vie car, vraisemblablement, Caïn ne l'avait pas compris. Cette instruction, qui est encore une interrogation, s'articule autour du verbe יטב *(yatav)* qui signifie : bien faire, bien agir, répondre à sa vocation, faire une chose de façon juste, être bienveillant (étymologiquement bien-voulant), rendre heureux.

---

[47] Isaïe 6:9.

[48] A. Chouraqui. *Op. Cit.*

[49] En général l'hébreu n'utilise pas le verbe « être » pour qualifier une situation, mais nous l'avons ajouté en français pour rendre ce mot à mot plus compréhensible pour ceux qui ne connaissent pas l'hébreu.

À travers tous ces sens on comprend que le « bien-vouloir » et le « bien-agir » selon Dieu n'est pas un paradigme absolu mais qu'il est différent pour chacun et uniquement selon sa propre vocation. La racine de ce verbe se retrouve dans l'adjectif טוֹב *(tov)* qui signifie beau/bon/bien, et si nous enlevons toute connotation morale à ce terme il révèle le sens de ce commandement de Dieu : *Si tu marches en ma présence, avec sincérité de cœur et avec droiture, j'établirai pour toujours le trône de ton royaume en Israël*[50].

La vocation de Caïn, énoncée au verset 2, est d'être un *serviteur de la glèbe-terre*, ce qui situe ce service dans l'action concrète de la vie, afin d'offrir les conditions de développement de cette vie sur la terre. Un serviteur agit bien lorsqu'il agit pour le bien et le plaisir de son maître, sans attendre une récompense particulière en retour. Son offrande a-t-elle été faite dans l'optique juste de ce service, dans un détachement de lui-même et sans arrière-pensée ? Attendait-il une reconnaissance, voire une récompense en retour de son offrande ? Nous ne le savons pas, même si nous pouvons le supposer au vu de sa réaction. Mais ce qu'il demeure important de voir ici, c'est que le sens de l'offrande est d'accepter maintenant les événements tels qu'ils se présentent à lui au lieu de se regimber contre eux. Or le verset précédent nous montre que Caïn ne les a pas acceptés.

Mais si Caïn, non seulement comprend, mais agit selon ce que doit être l'offrande à Dieu, il reçoit alors l'instruction divine sur le devenir de sa vie lorsqu'il *agit bien*. Ici le texte utilise le substantif שְׂאֵת (se'eyth) qui provient d'une racine signifiant : porter, soulever, pardonner, enlever, être haut élevé, se lever, se dresser. Il signifie une *élévation/dignité*. Par cet enseignement Dieu donne à l'homme une orientation de vie.

---

[50] I Rois 9:4.

Quelle est cette *élévation/dignité* de l'homme lorsque c'est Dieu qui l'instruit ? Il s'agit, comme le dit Jésus, de l'élévation de l'homme au-delà de *la chair et du sang.* Il explique cela dans Matthieu 16:13-17, lorsque Pierre, répondant à la question de Jésus – *Qui dit-on que je suis ?* – reconnaît en Lui le *fils de Dieu.* Jésus alors lui répond : *Tu es heureux Simon fils de Jonas, car ce ne sont pas la chair et le sang qui t'ont révélé cela, mais c'est mon Père qui est dans les cieux.* Pierre a été élevé de son plan de conscience habituel, qui est celui *de la chair et du sang,* vers un plan supérieur où il peut reconnaître Dieu en Jésus. Cette élévation, c'est en l'homme un chemin vers la connaissance de Dieu et le triomphe de l'Esprit, un pas en avant pour pouvoir un jour manger de l'arbre de vie.

וְאִם לֹא תֵיטִיב לַפֶּתַח חַטָּאת רֹבֵץ /2
Mais si tu n'agis pas de façon juste, à l'ouverture/porte le « manquer de but » étant couché,

L'Éternel vient d'instruire l'homme sur le bienfait d'agir de façon juste. Maintenant Il lui explique quels sont les éléments de sa vie qui peuvent être la source d'une erreur par rapport à une action juste.

L'ouverture/porte fait concrètement référence au passage qui permet de communiquer entre la tente, ou la maison, et son environnement. Elle signifie le lieu d'échange entre les circonstances extérieures et notre intériorité ou l'inverse. En effet la manière dont l'homme voit et vit les circonstances extérieures dépend bien entendu de celles-ci, mais bien davantage encore de ce qu'il est. « L'important ce ne sont pas les situations extérieures mais la manière dont nous réagissons » enseigne Mâ Sûryânanda Lakshmî.

Dans notre vie nous sommes tous confrontés en permanence à cette vérité, même si nous n'en avons pas conscience, et un exemple simple nous permettra de mieux la comprendre. Un prêtre nous faisait visiter sa très belle église romane abritant dans sa crypte une statue très ancienne de la Vierge. Depuis des générations les fidèles de cette région avaient l'habitude de venir dans cette crypte pour toucher cette statue et il nous relatait que certains de ses paroissiens s'en indignaient estimant qu'il s'agissait là de superstition ou d'idolâtrie, souhaitant en conséquence qu'il réprouve cette pratique. Ce bienheureux prêtre leur répondait : « Mais non, moi j'y vois un geste d'amour. »

C'est précisément dans sa réaction par rapport aux circonstances de son action que se situe le *manquer de but* de Caïn, son faux pas. Il voit dans la réponse de la vie qui suit son offrande comme une *préférence* de l'Éternel, au lieu de tout simplement considérer que se présentait à lui l'occasion de connaître la loi de Dieu, de l'accepter et donc de corriger son attitude pour avancer un peu plus vers son « destin surnaturel ». Mais lorsque l'homme reste centré uniquement sur son moi individuel, son attachement à son ego, il commet cette erreur d'appréciation et considère que Dieu a des préférences. Comment pourrait-il y avoir une préférence en l'Éternel ? Aucune, comme le dit le Deutéronome 10:17 : *Car l'Éternel, votre Dieu, ... ne fait point acception des personnes*[51].

Le mot hébreu traduit ici par l'expression *le manquer de but* vient d'un verbe חטא *(ḥata)* qui certes veut dire pécher, mais tout d'abord : manquer une cible ou un but, se tromper, s'égarer, ne

---

[51] Cette vérité est réaffirmée dans Actes 10:34 ainsi qu'à de nombreuses reprises dans les Épîtres (Ro. 2:11, Ga. 2:6, Éph. 2:6, Col. 3:25, Jas. 2:9, Pi. 1:17).

pas trouver[52]. Cette expression exprime mieux une dynamique que le terme *faute* ou *péché* car la vie court toujours vers un but, même si bien souvent l'homme ignore lequel. De quelle cible ou de quel but manqué s'agit-il ? Il s'agit justement de cette *élévation/dignité* relatée précédemment. En outre le texte hébreu utilise le « participe actif » du verbe *coucher* pour indiquer que ce risque de *faux pas* par rapport au but à atteindre est un élément permanent inscrit dans la structure même de notre être. Tout cela a bien entendu des conséquences dans notre vie et c'est ce que l'Éternel va maintenant expliquer à Caïn.

3/ וְאֵלֶיךָ תְּשׁוּקָתוֹ וְאַתָּה תִּמְשָׁל־בּוֹ

Et vers toi son attente, et toi tu seras semblable à lui (le manquer de but).

Dans ce passage il y a comme un dialogue permanent, un lien étroit entre nos réactions et ce que nous devenons. D'un côté ce « *manquer de but* » est toujours en attente de faire jouer sa prépondérance en nous si nous ne sommes pas bienveillant, et d'un autre il a la capacité d'induire le devenir de notre vie.

En effet le premier sens du verbe מָשַׁל *(machal)* est « être semblable à », puis vient en second le sens de « dominer ». Le premier sens paraît plus logique que le second dans le contexte où il est utilisé, et surtout il dépasse la vision moralisante que sous-tendrait le sens de *domination* assortie au mot *péché* dans cette phrase. Ce verbe est très clairement au « mode inaccompli » ce

---

[52] Dans la Septante il est traduit par *amartia* venant du verbe *amartanô* dont le sens est en premier lieu *manquer le but*, puis : se tromper de chemin, s'écarter de la vérité, dévier, s'égarer, se méprendre, manquer de faire, trébucher ; puis (seulement en dernier) commettre une faute, faillir, pécher.

qui signifie qu'à partir de l'enseignement de l'Éternel toutes les possibilités de changement de point de vue sont ouvertes. Les Sages de l'Inde répètent « on devient ce que l'on pense » et énoncent plusieurs paraboles illustrant cela. Caïn a pensé faussement au sujet de la vie et de l'Éternel et, s'il ne change pas de point de vue, il deviendra encore plus faux en lui-même et manquera le but assigné par Dieu. C'est bien ce qui va se passer dans le verset suivant.

v. 8

LS : *Cependant, Caïn adressa la parole à son frère Abel ;*
   Mais comme ils étaient dans les champs, Caïn se jeta sur son frère Abel et le tua.

AC : *Caïn dit à Hèbèl son frère …*
   Et quand ils sont au champ, Caïn se lève contre Hèbèl, son frère, et le tue.

Son erreur d'appréciation, qui est aussi souvent la nôtre, se révèle au grand jour dans cet épisode qui découle logiquement des évènements précédents. Caïn n'a pas suivi l'enseignement de l'Éternel et n'a pas changé de point de vue. L'orientation de son attitude est plus dictée par l'attachement à son ego que par l'amour pour son frère et pour l'Éternel, d'où peut-être un soupçon de jalousie car « le noyau de toute jalousie est un manque d'amour »[53].

Caïn dit à Hèbèl son frère …

Nous ne savons pas ce que Caïn dit à son frère et en contrepartie soulignons qu'Abel ne parle pas. Cette parole inaudible de Caïn et ce silence d'Abel rappellent un vieil adage oriental « Le sot parle beaucoup et le sage se tait ». Effectivement, tel Abel, il

---

[53] C.G. Jung, *op. cit.*

n'est pas nécessaire que l'homme révèle aux autres ce qu'il est en train de vivre dans sa relation à Dieu. Ce serait bien souvent une erreur de le faire.

Et quand ils sont au champ, Caïn se lève contre Hèb̲èl son frère...

Quand ils sont au champ signifie tout simplement qu'ils sont dans l'action concrète de la vie.

Caïn se lève... Le verbe utilisé ici קום (*kavam*) veut dire *se lever contre/se dresser/devenir puissant,* ce qui exprime tellement bien *l'orgueil* de Caïn qui se dresse et veut surpasser son frère Abel. Cette attitude entraîne pour lui, donc en nous-même, une conséquence logique : *...et le tue.*

Cette mort c'est l'effacement dans notre vie de la conscience spirituelle qui doit toujours demeurer le berger et le guide de notre vie. Par cet acte Caïn veut agir uniquement selon ses propres prérogatives et ne veut pas laisser Abel vivre en lui-même pour agir pleinement et en harmonie avec lui. Il ne veut pas laisser Abel être efficace dans une démarche d'*élévation* conformément à l'enseignement de l'Éternel. Or laisser notre âme être le guide de notre vie c'est ne pas penser, ne pas agir, ne pas faire de projet sans que ce soit notre âme qui nous le dicte.

Selon l'enseignement de Shrî Aurobindo, laisser l'âme grandir en nous, c'est aussi la laisser nourrir et féconder les plans inférieurs[54] (Caïn) pour les transfigurer, c'est-à-dire les amener eux aussi à cette élévation évoquée précédemment.

---

[54] Ils ne sont pas inférieurs au sens de la valeur, mais au sens où, comme dans un bâtiment, il y a une succession de niveaux, une base et des élévations, qui finissent par former un tout harmonieux.

Ce verset souligne bien les ravages de l'orgueil et nous renvoie à l'enseignement des grandes religions qui toutes prônent la nécessaire humilité dans le cheminement spirituel. « Il n'y a pas de plus grande vertu que l'humilité, ni de vice plus grand que l'orgueil »[55], disait par exemple Swami Ramdas.

Ce verset est aussi l'exact opposé de l'enseignement de l'apôtre Jean dans son évangile (3:30) lorsqu'il dit à propos de Jésus : *Il faut qu'Il croisse et que je diminue.*

---

[55] Swami Ramdas, Aphorismes, dans *Présence de Ram, op. cit.*, p. 129.

Où va l'âme après la mort ?
Où peut tomber la terre ?
Où peut aller l'âme ?
Là où elle n'est pas déjà ?
Swami Vivekânanda

Les conséquences de cette erreur

v. 9

LS : *L'Éternel dit à Caïn : Où est ton frère Abel ?*
Il répondit : Je ne sais pas ; suis-je le gardien de mon frère ?

AC : *IHVH dit à Caïn : Où est ton frère Hèbèl ?*
Il dit : Je ne sais pas. Suis-je le gardien de mon frère, moi-même ?

C'est à nouveau l'Éternel qui parle : *Où est ton frère ?*

Sur le plan terrestre ceci nous rappelle une ancienne discussion avec un prêtre qui avait l'habitude de rendre visite à des prisonniers. Il nous racontait que les auteurs d'un meurtre lui posaient parfois cette question : « Où est-il celui que j'ai tué ? » Sur ce plan-là, c'est ce que Caïn se dit.

Cette question se pose aussi en nous-même : où est-il celui que j'ai tué en moi-même ? À cette question de l'Éternel Caïn répond qu'il *ne sait pas*. Sa réponse n'est pas une tentative de jouer à l'innocent, mais est au contraire tout à fait logique. Il ne sait plus où sont ses plans de conscience supérieurs, puisqu'il leur a ôté le droit de vivre pleinement en lui-même. La *Bhagavad-Gîtâ* décrit très bien le fondement de cet oubli et de cette ignorance : « La colère et l'envie ôtent la mémoire ». Ici ce texte se réfère, non pas à la mémoire cognitive, mais à la mémoire de ce que nous sommes, tant dans le visible que dans l'invisible. Combien de fois ne savons-nous pas où est Abel en nous-même ?

Qu'est-ce en l'homme que cette ignorance ou défaillance de mémoire ? C'est l'oubli et donc l'ignorance qu'il y a en nous une dimension de notre être qui connaît Dieu. C'est en conséquence l'oubli de Dieu dans notre vie. N'est-ce pas l'une des caractéristiques fortes de notre époque ?

Ensuite Caïn pose la question : *Suis-je le gardien de mon frère ?*

Cette question a fait l'objet de nombreux commentaires qui se sont en général bornés à n'en tirer qu'une perspective morale, qui serait : nous devons nous occuper de nos frères. Certes cette perspective nous invite à nous occuper des autres lorsqu'ils en ont besoin, elle est peut-être aussi un garde-fou contre certains abus de comportement dans la vie sociale, mais est-elle accordée à l'essence du texte ?

Remarquons d'abord que le texte hébreu ne dit pas vraiment cela, puisque Caïn pose simplement la question et qu'il ne reçoit pas de réponse. Ensuite si Dieu avait voulu donner à Caïn une telle instruction sur le plan moral, on peut raisonnablement penser qu'Il l'eût fait avant le meurtre d'Abel. Si cette perspective morale n'est pas fausse, elle nous semble de toute façon très insuffisante car elle ne nous dit pas quelle est la voie pour devenir réellement « les gardiens de nos frères ». Or le rôle d'un texte sacré c'est avant tout de nous apprendre quelque chose sur le cheminement de l'homme en marche vers « son destin surnaturel ». C'est dans ce sens que nous allons tenter de comprendre ce passage.

La question que pose Caïn résonne en réalité comme l'affirmation de ce qu'il est, comme s'il disait à l'Éternel : « *Tu sais bien, Toi, que je ne suis pas le gardien de mon frère.* » Caïn sait cela et d'ailleurs Dieu ne lui répond pas sur ce point, ce qui peut passer pour un acquiescement. Nous avons vu que Caïn et Abel incarnaient différents plans de conscience en nous : Caïn les plans physique, vital et mental, et Abel les plans spirituels. Que Caïn ne soit pas le gardien de son frère signifie tout simplement que les plans inférieurs de notre vie ne sont pas les gardiens des plans spirituels, l'âme et l'Esprit en l'homme.

Si Caïn n'est pas ce gardien, qu'est-ce qui l'est en nous ?

Les sept plans de la conscience et de la vie sont comme les échelons de l'échelle de Jacob qui relient la terre et le ciel et sur laquelle *montent et descendent les anges de Dieu*[56]. Ce sont les sept étapes de notre montée vers l'Éternel. Dans une échelle chaque échelon doit être parcouru l'un après l'autre et chaque échelon est le gardien de l'échelon précédent, sinon l'échelle ne tiendrait pas. Il est aisé de constater que cela est déjà vrai entre les premiers plans de conscience physique, vitale et mentale de l'homme. Le plan vital assure la survie de toute créature vivante et garde le plan physique. Le plan mental de l'homme assure un premier niveau de connaissance de la vie et garde les plans vital et physique. Au cours des âges il a notamment permis des progrès très importants dans de multiples domaines pour l'ensemble des civilisations. Mais il peut aussi être source de bien des dérives tragiques, justement lorsque les hommes ont tué Abel en eux-mêmes.

---

[56] Gn 28:12.

Aussi n'apparaît-il pas en filigrane dans ce verset que si Caïn n'est pas le gardien de son frère, ce sont les échelons supérieurs, c'est-à-dire Abel, qui pourraient l'être ? Rappelons-nous qu'Abel est le gardien du troupeau, celui qui le guide et prend soin de lui, ce qui le présente tout à fait comme le gardien des autres éléments de la vie. Par leur maîtrise d'eux-mêmes et l'amour qu'ils répandent, les Saints et les Sages du monde entier nous montrent bien que l'âme et l'Esprit en l'homme sont véritablement le gardien de tous les éléments de la vie.

Alors la meilleure façon, et la plus efficace, d'être les gardiens de nos frères c'est de toujours faire grandir Abel en nous-même, comme le disait Séraphin de Sarov[57] : « Trouve la paix intérieure et des milliers la trouveront autour de toi. » Ces mêmes Saints et Sages nous disent que le souvenir constant de Dieu nous aidera à y parvenir.

v. 10

LS : *Et Dieu dit : Qu'as-tu fait ?*
La voix du sang de ton frère crie de la terre jusqu'à moi.

AC : *Il dit : Qu'as-tu fait ?*
La voix des sangs de ton frère clame vers moi de la glèbe.

Avant d'aborder les versets 10 à 14 qui tous parlent apparemment de la « terre » il est nécessaire de préciser quels sont les mots hébreux rencontrés pour exprimer cela. Il y a d'abord le mot הָאֲדָמָה *(l'Adama)* qui peut être traduit par *la Terre-Glèbe* ou *la Terre-Mère* car c'est de là que l'homme fut tiré comme le dit Genèse 2:7 et 3:23. Le nom de l'homme *(l'adam)* souligne bien

---

[57] Moine et Saint russe (1754-1833).

cette parenté[58]. *L'Adama* exprime à la fois l'énergie et la matérialité qui président au fondement terrestre de l'homme. Nous retrouvons cet archétype dans beaucoup d'autres traditions[59]. Puis il y a le mot אֶרֶץ (*Eretz*) qui exprime un espace indifférencié sur la terre, une contrée pas forcément bien déterminée. C'est là où demeurent les hommes et donc symboliquement *Eretz* signifie aussi leur façon de vivre et d'appréhender cette vie. Cette distinction est nécessaire pour mieux comprendre la suite du récit. C'est pourquoi A. Chouraqui traduit *Adama* par *terre-glèbe* ou simplement *glèbe* et *Eretz* par *terre*.

Qu'as-tu fait ?
Cette parole engage la responsabilité de l'homme, mais loin d'être une mise en accusation de la part d'un quelconque juge, elle est au contraire tout amour et compassion comme la suite du verset va le dire. On croirait entendre ici la voix d'une mère qui entend crier son enfant qui s'est fait mal, accourt vers lui, le prend dans ses bras et dit : « Mais mon chéri, qu'as-tu fait ? »

La voix des sangs de ton frère clame vers moi de la glèbe.
Rappelons-nous qu'Abel représente les plans spirituels de l'homme et l'Éternel dit en nous : « Qu'as-tu fait de ton âme ? » La *voix des sangs* d'Abel c'est notre âme qui du plus profond de nous-même et de la vie *clame* qu'elle est toujours vivante en Dieu, même si apparemment elle est effacée de la terre.

---

[58] Les deux termes *Adam* et *Adama* proviennent d'une racine commune qui signifie « être rouge » ce qui évoque le sang pour l'homme et l'humus pour la terre.
[59] Par exemple : Nannu chez les Sumériens, la Pachamama des Péruviens, la Tellus Mater des Romains, la Gaïa des Grecs, la déesse Prithvi des Hindous, le dieu Geb des Égyptiens.

Cette voix clame et appelle le secours de l'Éternel lorsque l'homme a agi de telle sorte que son âme semble comme disparue en lui-même, ou même simplement endormie. Le verbe hébreu utilisé ici צָעַק (ts'aq) veut dire exactement « appeler au secours ». Or c'est souvent dans la détresse que sa voix peut se faire entendre le plus vivement, et Caïn est certainement dans la détresse après ce qu'il a fait. L'appel au secours suppose quand même que l'homme a confiance en Celui qu'il appelle, sinon il ne le ferait pas. Il est des périodes de notre existence où la louange à la vie et à l'Éternel jaillit spontanément de notre cœur, par exemple dans une prière ou devant un magnifique paysage ou une simple fleur. Il est d'autres périodes au contraire où cela est difficile et c'est l'appel au secours qui s'avère être notre consolation. C'est pourquoi plusieurs psaumes chantent : *Dieu viens à notre aide, Seigneur à notre secours*. Même chez le plus criminel des hommes cette voix ne se tait jamais totalement et clame vers l'Éternel qui demeure inexorablement en tous.

Le texte nous dit que cette voix clame *depuis l'Adama (la Terre-Mère)* parce qu'elle est inséparable de la création elle-même, elle en est une des composantes depuis la fondation du monde. Elle demeure éternellement vivante et ne saurait s'éteindre, quoi que nous fassions. Ceci est l'éternelle *compassion divine*. L'homme se trompe si facilement dans l'appréciation du but à atteindre que s'il n'y avait pas cette compassion où irait-il, que deviendrait-il ?

v. 11

LS : *Maintenant tu seras maudit*
De la terre qui a ouvert sa bouche pour recevoir de ta main le sang de ton frère.

AC : *Maintenant tu es honni*
Plus que la glèbe dont la bouche a béé pour prendre les sangs de ton frère de ta main.

Toute erreur a son corollaire qui est la possibilité et la faculté d'apprendre ou de comprendre quelque chose. Effectivement Caïn est maintenant enseigné par l'Éternel pour comprendre quelque chose de plus de la vie.

Ce passage et le verset suivant ont parfois été vus comme l'annonce de la peine du bannissement qui était une des punitions majeures à cette époque. Le bannissement est l'affaire des hommes, or ici c'est Dieu qui parle et qui instruit. Tout comme nous avons vu qu'il n'y a pas en Lui de préférence, il faut aussi écarter l'idée qu'Il infligerait des punitions et des récompenses. Il y a là simplement une loi de la vie : toute pensée, toute parole et tout acte ont des répercussions sur notre vie. C'est ce que nous avons déjà vu en fin du verset 7 : *Tu seras semblable à…* N'oublions pas que nous sommes ici dans le livre de la Genèse, un livre qui nous révèle la nature et l'articulation de la vie sur la terre. Il ne s'agit donc pas ici de punition ou de châtiment, mais d'une instruction divine sur la vie de l'homme.

Maintenant… Ce *maintenant* nous indique bien que les conséquences de nos actes ne seront pas rétribuées dans un lointain, et tout à fait incertain, enfer ou paradis après la mort. Il s'agit au contraire d'une réponse immédiate de la vie, dès ici-bas. Nous retrouverons également cette immédiateté au verset suivant qui parle lui aussi de *aujourd'hui*. Ainsi le livre de la Genèse nous révèle, comme le dit Mâ Sûryânanda Lakshmî, que « le jugement de Dieu c'est ce que nous sommes ».

Maintenant tu es honni/maudit, plus que la terre-glèbe…
Dans ce verset les deux traductions citées diffèrent sensiblement. Celle de L. Segond nous semble inappropriée, non seulement à cause de l'ambiguïté du mot « terre » mais aussi du fait qu'elle

n'est pas vraiment accordée à la syntaxe du texte hébreu[60]. La traduction de A. Chouraqui demeure clairement plus fidèle : *tu es honni, plus que la terre-glèbe…*

Dans sa définition des différents plans de conscience (voir Annexe), Mâ Sûryânanda Lakshmî indique que le premier plan de la conscience physique est « entièrement et passivement soumise à la loi transcendante matérialisée en elle ». Nous trouvons là une bonne définition de *l'Adama.* Cette Terre-Mère, qui est passivement soumise à la loi de l'Éternel, ne peut pas être *honnie* ou *maudite* par Dieu qui l'a créée[61]. L'homme au contraire dont la conscience mentale est « le siège de la différenciation » a en lui la capacité de ne plus vouloir se soumettre passivement à cette loi. En réalité il ne le peut pas, mais il s'illusionne de pouvoir le faire et c'est en cela qu'il est infidèle à sa vocation puisqu'il est *l'image de Dieu.* C'est pourquoi après ce faux pas, qui est si caractéristique de la vie sur la terre, l'Éternel instruit l'homme qu'il est maudit *plus que* la Terre-Mère. Les conséquences de cette infidélité de l'homme sont précisées au verset suivant.

---

[60] En hébreu les prépositions et conjonctions peuvent prendre de multiples sens et restent souvent difficiles à traduire. Ici le texte original marque une pose de lecture entre le verbe *honnir/maudire* et le substantif *l'Adama,* ce qui indique que ce dernier n'est pas un complément direct de ce verbe. En outre le mot intermédiaire מִן *(min)* reliant ces deux éléments est véritablement « construit » avec ce substantif. Ces deux particularités grammaticales font prévaloir que ce lien מִן *(min)* ne signifie pas une relation de complémentarité ou de dépendance, mais plutôt une comparaison dans le sens « plus que ».

[61] Une telle assertion semble être en contradiction avec Gn. 3:17 (*Le sol sera maudit à cause de toi*) mais elle ne l'est pas. En effet en Gn. 3:17 la terre semble être maudite du *point de vue de l'homme* car l'Éternel dit bien : *à cause de toi.* Cette malédiction c'est donc la façon dont l'homme perçoit *la terre* après qu'il eut mangé le fruit de l'arbre de la connaissance du bien et du mal, c'est-à-dire être né à la dualité. Ce n'est pas Dieu qui l'a maudite, ce qui d'ailleurs n'aurait pas de sens.

La terre-glèbe qui a ouvert sa bouche pour prendre les sangs…
Les sangs sont le symbole de la vie[62]. Ils retournent à cette terre-mère qui les a fécondés, ce qui ne renie pas qu'ils expriment toujours la vie. Cette *terre* c'est, selon l'hébreu, l'*Adama* et non pas l'*Eretz*, ce qui confirme qu'il ne s'agit pas d'un exil ni d'un bannissement hors d'une contrée spécifique sur la terre.

v. 12
LS : *Quand tu cultiveras le sol, il ne te donnera plus sa richesse.*
   Tu seras errant et vagabond sur la terre.
AC : *Oui tu serviras la glèbe : elle n'ajoutera pas à te donner sa force.*
   Tu seras sur la terre mouvant, errant.

Oui tu serviras la terre/glèbe, elle ne te donnera plus sa richesse/force. Son rôle de serviteur mentionné au début du récit est réaffirmé. Mais sans Abel, c'est-à-dire dépossédé du berger de sa vie, l'homme s'est coupé de sa véritable richesse et de sa force sur tous les plans de son existence. L'*Adama* ne peut plus les lui fournir.

Cette richesse et cette force, ce ne sont pas seulement les biens matériels issus de notre labeur, mais également la beauté, l'équilibre et l'harmonie de toute la vie[63]. Lorsque les hommes font mourir Abel en eux-mêmes il y a rupture de cette harmonie et c'est sans doute faute de respecter cette loi que l'humanité traverse des crises parfois si tragiques.

---

[62] Pour signifier un meurtre l'hébreu dit : prendre les sangs.

[63] Ceux qui pratiquent le hatha-yoga ou certains arts martiaux savent très bien que s'ils se croient les seuls maîtres de leurs actions, au lieu de s'abandonner et faire confiance à la terre, ils perdent leur force et leur équilibre. Il en est de même dans notre travail : si nous le faisons en maugréant au lieu de nous y donner de tout notre cœur, il devient plus pénible et fatigant car nous ne recevons plus la force de l'*Adama*.

Et tu seras errant, mouvant sur la terre. Ici le terme *terre* renvoie à l'hébreu אֶרֶץ *(Eretz)*. Il ne s'agit plus de la *Terre-Mère* mais bien de la contrée où réside Caïn, contrée prise dans le sens, non pas d'une terre géographique précise, mais symboliquement de l'état dans lequel il demeure. Cet état, consécutif de son faux pas, c'est *l'errance*. Caïn qui a perdu à la fois ses racines et son berger-guide dans la vie, lui qui devait concrètement entretenir la terre, s'appuyant sur sa valeur et ses potentialités, se retrouve maintenant instable et désorienté.

Qu'est-ce que cette errance de Caïn en nous ?

L'instabilité est une caractéristique de la vie de l'homme sur la terre et cela nous le vivons et le savons tous. Un moment nous pensons ceci et l'instant d'après à autre chose, un moment nous imaginons de faire une chose et l'instant d'après nous avons changé. Nos pensées sont constamment agitées et instables. C'est pourquoi en Inde le mental de l'homme est souvent comparé à un singe agité qui ne cesse de sauter de branche en branche.

Nous savons que nous pouvons nous sentir perdu, donc errant, en certaines circonstances, par exemple lorsque nous subissons un déracinement physique, affectif ou psychologique. Ce qui est vrai sur ces premiers plans de la vie l'est tout autant sur les plans spirituels. Lorsque, après une période dans laquelle nous nous sentions en communion avec l'Éternel, il arrive un moment où notre cœur devient froid et où cette communion ne nous habite plus, nous ne savons que faire et où aller, ne sachant plus ce qui est vrai, ce qui est bon, ne sachant non plus comment prier avec vérité. C'est pourquoi à un moment donné le prophète Isaïe dit à l'Éternel : *Nous sommes depuis longtemps comme un peuple que*

Tu ne gouvernes pas[64]. Nous nous sentons vraiment tel Caïn sans Abel son frère, *mouvant et errant sur la terre,* car dans ce monde sans cesse changeant la seule chose qui soit véritablement immuable c'est l'Éternel en nous.

Parce que sa vie lui semble désormais si difficile à porter, Caïn va interpeller l'Éternel.

v. 13

LS : *Caïn dit à l'Éternel :*
Mon châtiment est trop grand pour être supporté.

AC : *Caïn dit à IHVH :*
Mon tort est trop grand pour être porté.

Aux versets précédents Caïn avait entendu la voix de l'Éternel l'instruisant de la loi et des conséquences de son erreur. Dans le présent verset et dans le suivant il exprime son ressenti par rapport à cette situation, et ce ressenti est à la fois une plainte et une crainte.

Mon châtiment/tort est trop grand... Ici nous trouvons un terme hébreu עון (*'avon*) qui a plusieurs sens et reste difficile à comprendre, ce qui se ressent dans les deux traductions citées qui utilisent des termes très différents : *châtiment* ou *tort*. Ce terme signifie : la faute ou le péché, la peine ou la souffrance, le châtiment, le tort ou l'iniquité. Mais dans sa racine on peut aussi voir le fait de s'abriter ou de se réfugier après s'être « détourné de la route ». Le traduire par « *situation* » nous paraît mieux adapté car ce terme a l'avantage de se situer au centre de cette galaxie de sens et n'a aucune connotation morale, même si parfois cette *situation* peut être ressentie comme un châtiment, tel le vécu de Caïn au verset 5.

---

[64] Isaïe 63:19.

Ma situation est trop grande pour être portée. Cet état dans lequel Caïn se trouve désormais établi en lui-même lui semble difficile à vivre. Et une fois de plus l'hébreu est merveilleux car il est à la fois tout à fait concret et spirituel : il utilise le même verbe נשׂא (*nacha*) pour signifier à la fois *porter* et *pardonner*. Si nous offrons sincèrement à Dieu nos erreurs, au lieu de les ressasser et de nous en flageller, alors le pardon en nous-même n'est pas loin. Mais Caïn n'a pas encore cette attitude, il ne fait que se plaindre à l'Éternel et reconnaît que cette situation génère en lui une certaine angoisse.

Le verset suivant nous apprend en quoi cette *situation* est en nous si grande à porter.

v. 14

LS : *Voici, tu me chasses aujourd'hui de cette terre ; je serai caché loin de ta face,*
        Je serai errant et vagabond sur la terre, et quiconque me trouvera me tuera.
AC : *Voici, aujourd'hui tu m'as expulsé sur les faces de la glèbe. Je me voilerai faces à toi.*
        Je serai mouvant, errant sur la terre : et c'est qui me trouvera me tuera.

Voici, aujourd'hui Tu m'as expulsé sur les faces de la terre/glèbe. Tant qu'Abel était vivant en Caïn celui-ci n'avait pas le sentiment d'être coupé de l'unité de toute la vie en l'Éternel, il se sentait dans le sein de *l'Adama.* Maintenant (aujourd'hui) il se voit *chassé* ou *expulsé* de cette unité et se retrouve *sur* les *faces de l'Adama,* soit en quelque sorte dans la dualité. Cette situation si grande à porter c'est la nostalgie de ne pouvoir vivre l'*alliance*[65]

---

[65] En hébreu le terme *(Berit)* traduit par *alliance* est extrêmement fort. Pour les Hébreux, une alliance était scellée dans un cérémonial, marquant l'union des deux parties afin qu'elles ne forment qu'une seule entité.

entre Dieu et sa création. C'est la difficulté pour l'homme de connaître cette Unité et donc l'Éternité[66].

Cette situation travaille le cœur de tout homme au plus profond de lui-même, qu'il en soit conscient ou non. Djalal al-Din Rumi[67] exprimait cela ainsi : « Tout être qui est éloigné de sa source aspire à revenir vers elle. » Or quelle est la source de tout homme, si ce n'est l'Éternel lui-même, comme l'a dit Ève au verset 1 de ce chapitre ?

Cette *alliance* fondamentale et éternelle fut révélée à Noé, à Abraham et à Moïse pour que les hommes la connaissent, puis elle fut tout au long de la Bible rappelée par les prophètes pour que les hommes ne l'oublient pas. Elle fut redite par Jésus car les hommes sont ainsi faits qu'ils l'oublient toujours : *Le royaume de Dieu est au-dedans de vous.* De nos jours où le sens de cette alliance n'est même plus vraiment compris – vu les traductions souvent erronées que donnent nos bibles de cette parole – c'est par la voix de la Sagesse hindoue qu'elle nous est rappelée, telle cette parole de Swami Vivekânanda proclamée au premier congrès international des religions (Chicago 1893) : « Hommes, frères, ayez confiance en vous-mêmes, Dieu est en vous. »[68]

---

[66] Cette unité de l'Éternel est affirmée en Deutéronome 6:4 qui, traduit mot à mot, dit ceci : *Écoute Israël : IHVH, nos Elohîms, IHVH, Un.* Cette affirmation de l'unité divine, de l'unité de l'Absolu avec toute la création, en liaison avec le fait que le terme *faces* appliqué à Dieu soit au pluriel, mérite quelques développements qui seront donnés dans l'Appendice.

[67] Poète mystique et sage du XIIIe siècle en Turquie.

[68] Cette parole rejoint très exactement ce qui a été vu dans l'introduction. À la suite de son discours qui souleva l'enthousiasme de cette assemblée, il fut invité à donner de nombreuses conférences aux États-Unis et à Londres. Ces conférences ont été consignées dans un ouvrage intitulé *Jnana Yoga*, Paris : Albin Michel.

C'est le désir de vivre réellement cette alliance qui pousse les hommes à la prière, à la méditation, à la contemplation, à l'adoration et à *bien agir* comme indiqué au verset 7. Chez certains ce désir est si fort qu'ils se mettent en route pour étancher cette soif et rien ne peut les arrêter, mais chez d'autres il reste à l'état latent et ne provoque pas en eux une forte volonté de tenter d'y répondre. Mais que l'homme le fasse consciemment ou non il est de toute façon dans ce cheminement.

Je me voilerai faces à toi. Je serai mouvant, errant sur la terre.
Caïn admet ce que Dieu lui avait enseigné au verset 12 et il en éprouve une certaine crainte parce qu'il reste centré uniquement sur son ego. Il se sent séparé *(voilé) des faces* de l'Éternel. Sans Abel comme guide, il a mis un voile devant la Lumière divine. Dans cette errance il n'est pas question de la difficulté à s'orienter ou se diriger sur le plan terrestre car ce verset nous parle de *l'Adama* et non pas de *l'Eretz*. Il s'agit donc de la difficulté de l'homme à trouver au fond de soi-même la bonne voie sur le chemin de sa quête spirituelle.

Quiconque me trouvera me tuera.
Nous pouvons donner de cette phrase une première interprétation purement psychologique. Caïn a reconnu son état intérieur, mais au lieu de laisser l'Éternel *porter* son erreur il se centre avant tout sur la lourdeur de celle-ci, se créant ainsi *coupable*. La conséquence de cette culpabilité est évidemment la peur, et cette peur fait qu'il craint d'être tué à son tour.

Plus fondamentalement nous pouvons comprendre qu'étant maintenant centré uniquement sur son ego, donc dans la dualité, il se sente séparé des autres hommes. Il s'imagine alors qu'en toute autre personne un ennemi potentiel pourrait se cacher et le traiter comme il a traité Abel. Cette perception génère en lui de l'angoisse. Ne sommes-nous pas parfois ainsi ? Ne retrouve-t-on pas ici l'angoisse devant l'inconnu ou l'étranger, dont la Bible nous dit cependant qu'il doit être accueilli lui aussi ? Et puisque Caïn a lui-même tué son frère il s'imagine tout à fait naturellement qu'il pourrait subir le même sort de la part de quiconque.

L'impossible d'aujourd'hui est
le possible de demain.
Shrî Aurobindo

La rédemption fait partie du chemin

v. 15-a

LS : *L'Éternel lui dit : Si quelqu'un tuait Caïn, Caïn serait vengé sept fois.*

AC : *IHVH lui dit : Ainsi, tout tueur de Caïn subira sept fois vengeance.*

Après cette prise de conscience de Caïn sur son erreur et sa situation, voici l'intervention de l'Éternel et sa miséricorde pour aider l'homme à poursuivre sa marche vers l'arbre de vie.

L'Éternel continue d'instruire Caïn, mais une fois de plus il est nécessaire d'intérioriser cet enseignement pour le bien comprendre. En effet si notre lecture reste au niveau extérieur qui voit dans les personnages de cette allégorie uniquement des individus séparés, avec pour Caïn et Abel leur rivalité jalouse, voilà un verset qui mettrait cette lecture devant une double contradiction. D'une part elle tordrait définitivement le cou, si besoin était encore, à l'idée qu'Adam et Caïn furent les deux premiers hommes, ancêtres de toute l'humanité, comme cela a été parfois dit. D'où viendraient dans ce cas *tous ceux* qui pourraient le trouver et le frapper ? D'autre part, elle nous amènerait à considérer que Dieu fait preuve de partialité. Pourquoi ceux qui tueraient Caïn seraient-ils condamnés plus lourdement (*sept fois*) que Caïn lui-même qui a tué son frère ? Ceci paraît d'autant plus illogique que la suite du récit indiquera que Caïn sera pardonné.

Tout tueur de Caïn peut bien entendu évoquer des individus qui risqueraient de porter atteinte à sa vie, mais il se réfère aussi, et peut-être davantage encore, à tout ce qui en nous détruit les éléments nécessaires à la croissance et au maintien de la vie sur la terre. Nous savons bien que si nous n'avons pas une hygiène de vie équilibrée et malmenons notre corps au-delà du nécessaire nous en abrégeons le cours. Par exemple s'adonner à certains excès dans la nourriture ou la boisson va nécessairement abréger la durée de cette vie.

Tout tueur de Caïn subira sept fois vengeance. Dans la bouche de l'Éternel il ne s'agit pas de *vengeance* au sens dualiste (œil pour œil, dent pour dent...), mais tout simplement d'une loi de la vie : nous portons en nous-même les conséquences de nos pensées et de nos actes. Mais ici ces conséquences paraissent graves puisque le texte emploie le chiffre 7, qui dans la Bible est toujours un chiffre symbolique. Ce chiffre correspond aux sept plans de conscience et de vie évoqués en début de cet essai. Pour A. Chouraqui[69] ce chiffre indique une très grande quantité. Nous pouvons aussi considérer que 7 = 4+3 dans lequel 4 représente les éléments terrestres et 3 l'Esprit, c'est-à-dire l'homme dans toutes les dimensions de son être – visible et invisible. Ce chiffre nous indique que ces comportements, envers les autres ou envers soi-même, sont graves. Il nous dit également qu'ils atteignent aussi l'humanité.

Mais pourquoi transgresser cette loi est-il si grave ? Tout au long du texte nous avons vu que l'homme se heurte en lui-même à des obstacles sur le chemin de l'arbre de vie, et que malgré ces difficultés c'est sa vocation de vivre cette aventure, qui est son

---

[69] Dans son *Encyclopédie de la Bible.*

« destin surnaturel ». Se tromper lors de cette pérégrination est pardonnable parce que toujours corrigible. Mais tuer Caïn, c'est-à-dire tuer la base même de la vie sur la terre, ne peut être corrigé de la même manière et paraît contraire à la loi de la création. Caïn est notre socle de la vie qui permet l'élévation vers l'Esprit. « C'est seulement ici, dans la vie terrestre où se heurtent les contraires, que le niveau général de conscience peut s'élever » disait C.G. Jung. Frapper ou tuer ce socle ne permet plus cette élévation et c'est pourquoi l'homme doit en prendre soin. « Le mal que l'on fait au corps c'est un mal que l'on fait à l'Esprit. »[70] Tuer ce socle est donc grave parce que c'est ne pas respecter la loi de l'Éternel et c'est empêcher que la rédemption puisse avoir lieu. Or, puisque Caïn ne sera pas tué, celle-ci va venir dans la suite du verset.

v. 15-b

LS : *Et l'Éternel mit un signe sur Caïn pour que quiconque le trouverait ne le tuât point.*

AC : *IHVH met un signe à Caïn pour que tous ceux qui le trouvent ne le frappent pas.*

Avec l'habitude humaine de toujours regarder vers l'extérieur nous nous imaginons que ce signe est mis *sur* Caïn, donc destiné à être vu par les autres hommes. Ce serait comme un tatouage-talisman protecteur qu'il porterait ostensiblement et ayant pour but d'empêcher quiconque de le tuer. Mais *l'Éternel ne considère pas ce que l'homme considère ; l'homme regarde ce qui frappe les yeux, mais l'Éternel regarde au cœur*[71]. Aussi c'est au cœur que nous devons nous efforcer de regarder pour tâcher de comprendre le sens de ce verset.

---

[70] Mâ Sûryânanda Lakshmî, conférence du 02.05.1992 à Giez (Suisse).
[71] I Samuel 16:7.

Dans la Bible lorsque l'Éternel donne aux hommes un *signe,* celui-ci est le témoignage d'une révélation. Ce signe-témoignage peut parfois prendre forme sur le plan matériel pour que l'homme puisse s'en souvenir plus aisément et l'intégrer dans sa vie. C'est pourquoi la merveilleuse révélation de l'alliance entre Dieu et les hommes fut à chaque fois accompagnée d'un signe tangible, donné à Noé (l'arc-en-ciel ; Genèse 9:13-17), à Abraham (la circoncision ; Genèse 17:10-13) et à Moïse (l'arche d'alliance ; Exode ch. 25).

L'Éternel *met un signe* pour Caïn.

Ici nous ne connaissons pas la nature de ce signe. Le terme hébreu traduit par signe veut également dire *prodige, preuve, avertissement.* Par ailleurs le texte ne dit pas que « cela » est mis *sur* Caïn, mais *à* Caïn ou *pour* Caïn, ce qui signifie qu'il n'est pas visible par d'autres hommes. Le verbe שׂוּם *(soom)* qui est traduit habituellement par *mettre,* a en hébreu quantité de significations qui sont intéressantes à noter : placer, mettre, mettre dans une direction déterminée, diriger, établir, faire que, tracer, écrire, instituer, fixer. Ce que l'Éternel place en Caïn n'est pas quelque chose là-dehors mais représente la transformation et la nouvelle orientation de sa conscience, tracée/dirigée/établie par l'Éternel. C'est sans doute pour cela que L. Segond dans son édition originale de la Bible[72] a traduit ce verset autrement :

Et l'Éternel fit connaître à Caïn que quiconque le trouverait ne le tuerait point.

---

[72] Première édition de 1874. La révision de 1910 n'est pas due à Louis Segond lui-même car elle a été effectuée après son décès survenu en 1885, alors que de son vivant il n'avait pas voulu que sa traduction soit retouchée.

En quoi consiste cette connaissance ou cette révélation ?

Caïn *connaît* ce signe/prodige/avertissement et sait également qu'il vient de Dieu. Autrement dit, cette révélation il la vit et en comprend le sens. Rappelons-nous que Caïn n'est pas un individu mais représente les premiers plans de conscience de la vie en l'homme. Cette révélation est alors la connaissance que son faux pas, ou erreur d'appréciation, est aussi celui que peuvent faire tous les hommes. Elle fait partie intégrante de la création. « Ce qui réellement existe ne peut cesser d'exister ; de même ce qui est non existant ne peut commencer d'exister (*Bhagavad-Gîtâ,* 2:16*)*.

Ainsi l'Éternel révèle que cette possible erreur est universelle et qu'elle ne peut donc avoir comme conséquence la mort et la disparition des hommes sur la terre car « le dessein de Dieu n'est pas la destruction de l'humanité mais sa transfiguration » comme l'affirme Mâ Sûryânanda Lakshmî. C'est pourquoi Dieu lui dit que *quiconque le trouverait ne le tuerait point.* Nous trouvons déjà là une annonce du commandement que l'Éternel donnera plus tard à Moïse : *Tu ne tueras point*[73].

Cette révélation, ou nouvelle connaissance, est une grâce donnée par Dieu à Caïn. Elle lui donne une nouvelle orientation possible de sa vie. Cela lui permet de ne plus être enfermé dans sa peur, ni dans sa perception du monde dominée uniquement par son ego comme il l'avait exprimé aux versets précédents. Il sait qu'il est *pardonné,* c'est-à-dire *libéré de l'emprisonnement*[74] de son faux pas, de cette erreur de perception de la vie. Aidé désormais par cette grâce, Caïn est appelé à sans cesse vaincre cet emprisonnement et pour cela il va devoir continuer son chemin.

---

[73] Exode 20:13.
[74] Car tel est le sens étymologique du pardon.

Ce verset rend compte de la miséricorde divine qui ne condamne pas les faux pas de l'homme et de l'humanité mais affirmit en eux leur vocation d'avancer vers l'arbre de vie, vers la vie en Éternité. Elle leur donne non seulement la possibilité de poursuivre cette route, mais aussi le désir de le faire et l'énergie pour persévérer dans cette voie. « La vocation de l'homme est de trouver Dieu » disait Shrî Anandamoyî Mâ.

À partir de ce moment, la route de Caïn sera jalonnée par la connaissance de son faux pas. Cela ne signifie pas forcément qu'il ne le commettra plus jamais, car nous savons bien que nous retombons souvent dans le même travers avant de pouvoir vraiment nous en libérer. Cette miséricorde n'est pas sur Caïn seul, elle est en tout homme, accompagne chacun de nous car elle fait partie de la vie.

v. 16
LS : *Puis Caïn s'éloigna de la face de l'Éternel*
     Et habita dans la terre de Nod à l'orient de l'Éden.
AC : *Caïn sort faces à IHVH*
     Et demeure en terre de Nod au levant de l'Éden.

Ce verset qui conclut le texte est très important, car ce qu'il est convenu d'appeler « la chute » par laquelle s'achève un récit est toujours, soit un révélateur, soit une confirmation de son sens. C'est vers ce point d'orgue que tend le texte tout entier. C'est bien le cas ici.

Caïn avait un court moment accédé aux plans supérieurs de sa conscience pour que l'Éternel puisse l'instruire. Maintenant, il *s'éloigne des faces de l'Éternel,* littéralement *il sort* de l'intimité qu'il avait avec Dieu mais doit quand même continuer sa route.

Le ressenti de cet éloignement nous le vivons tous à un moment ou un autre lors de notre quête spirituelle.

Mais cet éloignement n'est qu'apparent car en réalité Dieu est toujours là. Cet éloignement est non seulement un fait mais une aide absolument nécessaire pour que l'homme ne s'égare pas dans des illusions et puisse toujours monter vers le Seigneur, comme l'explique très bien le poème de R. Tagore déjà cité :

« Parfois ... Tu te dérobes de devant moi. Jour après jour Tu me formes digne de Ton plein accueil : en me refusant toujours et encore, Tu m'épargnes les périls du faible, de l'incertain désir. »

Il *demeure en la terre de Nod*. Cette contrée, comme l'indique clairement le terme hébreu נוד *(nod)* est celle de l'*errance,* conformément à ce que l'Éternel lui avait annoncé au verset 12. Dans son encyclopédie A. Chouraqui écrit : « Ce nom symbolique qui signifie *errance* interdit d'y voir une réalité géographique précise. » Plutôt qu'une contrée spécifique sur la terre il exprime la situation ou l'état intérieur dans lequel les hommes sont en général établis, là où ils *demeurent*.

Le texte ajoute que cette contrée est *à l'orient de l'Éden*. Cette précision, qui n'est donc pas géographique, indique à l'homme dans quelle direction il doit regarder et quel est l'axe majeur du déroulement de sa vie, malgré toutes les erreurs qu'il peut commettre.

De tout temps l'Orient ou le Levant désigne le lieu d'où va jaillir la lumière, le renouvellement du jour et, par extension, le renouveau de la vie. L'Orient c'est ce qui apporte la lumière, la lumière physique mais aussi celle de l'Esprit, celle de la connaissance de Dieu, la lumière en nous. *Éden*, en hébreu, vient d'une racine signifiant : délices, charme, agrément. Cet Orient de l'Éden c'est non seulement l'imminence d'un renouveau mais aussi l'espérance et la promesse d'une joie et d'un bonheur que chaque homme est appelé à vivre. C'est la possibilité qui lui est offerte d'accéder à l'arbre de vie.

Souvenons-nous également qu'à la fin du chapitre 3 de la Genèse, c'est à *l'orient de l'Éden* que l'Éternel a placé : *des chérubins qui agitent une épée flamboyante pour garder le chemin de l'arbre de vie.*

Cette *épée flamboyante* c'est la Lumière de Vérité qui tranche l'ignorance de l'homme qui méconnaît sa propre Vérité de *fils de Dieu*[75]. Il doit se confronter de multiples fois avec cette Lumière afin de connaître sa situation, son ignorance et son erreur. Bien que Caïn soit dans l'errance – comme il nous arrive à tous de l'être parfois – il est en même temps toujours à l'orient de l'Éden donc sur le chemin de l'arbre de vie. Quand le moment sera venu il sera prêt pour se confronter à nouveau avec l'épée de ces chérubins et peut-être faire un pas de plus sur ce chemin. Ainsi, même s'il ne perçoit peut-être pas encore que la lumière du renouveau – la rédemption – est possible, celle-ci demeure à tout jamais présente, toujours actuelle en lui comme en nous : *au levant de l'Éden.*

Cette rédemption a traversé toute l'histoire de l'humanité, elle est éternelle et universelle car, comme le dit Mâ Sûryânanda Lakshmî : « Ceci est, depuis la fondation du monde, l'articulation même de

---

[75] Rappelons-nous ici cette parole de Jésus : *Le Royaume est le dedans de vous, et il est le dehors de vous. Quand vous vous connaîtrez, alors vous serez connus et vous saurez que c'est vous les fils du Père-le-vivant.*

la loi de la création. » Jésus, qui est le rédempteur de la vie et des hommes, affirme exactement la même chose : *En vérité, en vérité, je vous le dis, avant qu'Abraham fût, Je suis*[76]. Cette parole nous dit clairement que la rédemption est dès l'origine de la création et pour toujours, en toute Éternité. Le prophète Isaïe avait déjà souligné cela : *C'est toi, Éternel, qui est notre Père, qui dès l'Éternité, t'appelles notre Rédempteur*[77]. L'Éternel est à la fois le créateur et le rédempteur, au travers de nous-même et de l'humanité.

Il peut nous sembler qu'il y ait une contradiction entre cette rédemption éternellement présente, et ce que Dieu dit et fait à la fin du chapitre 3 de la Genèse (v. 22-23) : *Voici l'homme est devenu comme l'un de nous pour la connaissance du bien et du mal. Maintenant de peur qu'il n'envoie aussi sa main et ne prenne de l'arbre de vie, n'en mange, et vive éternellement, Dieu le chasse du jardin d'Éden.* Après sa naissance à la connaissance de la dualité, donc à sa connaissance du bien et du mal, l'homme est chassé de l'Éden pour qu'il n'ait pas spontanément accès à l'arbre de vie pour connaître l'Éternité. Mais de suite après l'énoncé de cette loi de la vie sur la terre, Dieu révèle à l'homme – par le récit de Caïn et Abel – quelle doit être sa démarche pour qu'il puisse un jour accéder pleinement à cette vie en Éternité, à cette dimension plus vaste et plus heureuse de la vie. Il lui donne aussi Sa grâce en soutien de cette démarche.

S'il n'y avait pas ce double mouvement de la vie en l'homme, comment pourrait-il connaître le Bonheur et la Joie de vivre l'aventure du retour vers l'arbre de vie ? C'est pourquoi l'homme a aussi son rôle à jouer. Il doit faire l'effort d'avancer vers cette

---

[76] Év. Jean 8:58.
[77] Isaïe 63:16.

Lumière qui est la connaissance de l'Éternel, malgré les multiples obstacles qu'il rencontrera en lui-même, et quoi qu'il arrive, de toujours poursuivre dans cette voie.

Cette apparente contradiction dans ce double mouvement est en réalité un enseignement. Elle apprend à l'homme que c'est Dieu, et Lui seul, qui le conduit sur ce chemin de l'arbre de vie. La vie des Saints et des Sages nous montre bien qu'ils ont compris cela et dépassé cette contradiction. C'est pourquoi Shrî Aurobindo répétait à ses disciples : « En avant, toujours en avant, au bout du tunnel il y a la Lumière, au bout du combat il y a la Victoire. »

L'âme humaine voyage de la loi à l'amour,
de la discipline à la libération,
du plan moral au plan spirituel.
Rabindranath Tagore

Conclusion

Dans l'interprétation de ce texte la tradition rabbinique a voulu retenir le récit de la jalousie fraternelle et du premier meurtre de l'humanité avec une morale découlant de cet acte. Certains y ont vu le sens de la rivalité entre les peuples sédentaires, représentés par Caïn, et les peuples nomades, représentés par Abel, avec le sentiment d'une préférence de l'Éternel pour les peuples nomades, comme l'était – et se considère encore en grande partie – le peuple juif. Quant à la tradition chrétienne elle a fait sienne la première interprétation. Mais « L'objet, le seul objet, des Écritures sacrées c'est Dieu en l'homme, la progression de l'Esprit, de la Lumière Divine en l'homme, et non pas l'homme sur la terre »[78]. C'est pourquoi nous avons souhaité offrir une autre perspective de ce texte biblique pour l'homme d'aujourd'hui qui cherche dans les textes sacrés une réponse aux questions qu'il se pose sur le sens de sa vie, sur sa propre quête spirituelle et celle de l'humanité.

Si nous cessons d'avoir une perception littérale, historique et morale des textes bibliques faisant de Caïn et Abel des individus séparés et rivaux, nous percevons que cette allégorie parle de

---

[78] Conférence de Mâ Sûryânanda Lakshmî donnée à Paris le 17.05.1987.

l'homme au plus profond et au plus essentiel de lui-même. Le texte a mis le doigt sur l'obstacle permanent qu'il rencontre dans sa démarche pour avancer vers l'arbre de vie, symbole d'Éternité. Cet obstacle est source d'un possible faux pas – parfois tragique – mais il est en même temps l'occasion d'apprendre que la miséricorde et la compassion divines sont toujours présentes pour l'accompagner et l'aider dans son cheminement.

Cette nature de la vie de l'homme, faite de la rencontre d'obstacles et de leurs dépassements, est universelle. L'Inde l'a également merveilleusement révélé sous la forme d'un Dieu : Ganesha. Avec son gros ventre et sa tête d'éléphant, son effigie très familière est répandue partout dans ce pays où il fait l'objet d'une grande dévotion. « Ce Dieu représente l'appel à la force spirituelle par opposition à la confiance en la force matérielle, la puissance de la grâce divine par opposition à l'effort humain. Aussi est-il le Guide, le Seigneur des obstacles qui, à la fois suscite ces obstacles pour l'entraînement spirituel de l'homme et enseigne à les surmonter. »[79] Nous voilà devant une même révélation que celle de notre texte biblique, bien que transmise sous une autre forme.

Ce cheminement de l'homme et de l'humanité vers l'arbre de vie, qui a été exposé pour la première fois dans ce chapitre 4 du livre de la Genèse, sera rappelé tout au long de l'Ancien Testament au travers des multiples combats, victoires aussi bien que défaites, et longues errances que vivront les fils d'Israël en route pour conquérir le pays *où coulent le lait et le miel*. Et il existe bien des éléments communs entre le récit de cette grande épopée et celui que nous venons d'examiner.

---

[79] Jean Herbert, *Spiritualité hindoue*, Paris : Albin Michel, 1972, p. 333.

Ce cheminement a été attesté par les Prophètes, il est accompli par le Christ[80] et révélé par l'Apocalypse de Jean. Ce dernier livre de la Bible, loin d'être le récit des cataclysmes et catastrophes qui attendent l'humanité, peint dans une fresque grandiose « *la Révélation de ce combat de l'homme et de Dieu en l'homme* »[81].

Cette Révélation conclut pleinement notre récit du livre de la Genèse. Elle enseigne à l'homme que, malgré ses tribulations, l'issue de ce combat est l'accomplissement de la promesse de manger de l'arbre de vie.

> *À celui qui vaincra,*
> *Je donnerai à manger de l'arbre de vie*
> *qui est dans le paradis de Dieu[82].*

Et en toute fin du texte de l'Apocalypse, l'image qui est donnée de cet arbre confirme ce que la Genèse avait préparé en parlant de « vie en Éternité » :

> *Sur les deux bords du fleuve il y avait un arbre de vie,*
> *produisant douze fois des fruits, rendant son fruit chaque mois,*
> *et dont les feuilles servaient à la guérison des nations[83].*

Ce livre, par le fait qu'il soit aussi le dernier de la Bible, nous indique que ce chemin est long pour l'homme et pour l'humanité. Il demande beaucoup de persévérance tout en sachant que tous les hommes ne le vivent pas de la même manière. Face à cela Jean

---

[80] *Je ne suis pas venu pour abolir la loi ou les prophètes ; mais pour les accomplir* (Mt 5:17).

[81] Le mot grec traduit par « apocalypse » signifie « révélation ». Voir à ce sujet la splendide exégèse spirituelle de Mâ Sûryânanda Lakshmî, de laquelle est tirée cette citation.

[82] Apocalypse 2:7.

[83] Apocalypse 22:2.

nous dit, dans son introduction, que pour y parvenir l'homme ne peut échapper ni à l'épreuve, ni à la persévérance en vue d'un accomplissement dans le royaume. « *Moi Jean votre frère et votre compagnon dans l'épreuve, le royaume et la persévérance en Jésus, j'étais dans l'île de Patmos ....* »[84] Cette persévérance est aussi évoquée à de nombreuses reprises dans la Bible[85].

Si nous nous efforçons de lire le récit de Caïn et Abel avec notre âme, tout en ne craignant point de jeter un regard du côté des autres « Sagesses », nous voyons qu'il institue les prémisses de l'enseignement de toute la Bible. Cette allégorie est un condensé admirable de l'aventure intérieure de l'homme, actuel et en devenir, avançant vers l'arbre de vie, soit la vie en Éternité. En ce sens, elle sommeille au fond de la vie, au fond de nous-même. En partant d'une description de ce qu'est l'humain, elle ébauche le sens de sa vie et de son rôle, tout autant que de ses difficultés et de ses erreurs, tout en laissant place à l'espoir, puisqu'il pourra toujours repartir vers cette « cible » qu'il ne connaît pas, mais vers laquelle il tend inexorablement pour aboutir à cette Transfiguration : *Moi et le Père nous sommes Un*[86].

---

[84] Apocalypse 1:9.

[85] Par exemple : Daniel 6:6 : *Après avoir jeté Daniel dans la fosse aux lions le roi lui dit : Puisse ton Dieu que tu sers avec persévérance, te délivrer.* Év. de Luc 21:19 : *Par votre persévérance vous sauverez votre âme.* Ép. Hébreux : *Nous désirons que chacun de vous... imitiez ceux qui par la foi et la persévérance héritent des promesses.*

[86] Év. Jean 10:30.

ANNEXE

Définition des sept plans de la conscience selon Mâ Sûryânanda Lakshmî[87]

1 – La conscience physique ou instinct, entièrement et passivement soumise à la loi transcendante matérialisée en elle.

2 – La conscience vitale ou énergie créatrice également subordonnée à la volonté unique du Créateur.

3 – La conscience mentale ou « image de Dieu », siège de la différenciation.

4 – La conscience affective, centre de l'adoration et principe de la perception intuitive qui conduit à la vision supra-mentale.

5 – La conscience supra-mentale ou intuition mystique, début de la vision lumineuse surnaturelle en l'homme. C'est là que commence en lui le règne du Verbe de vérité, une fois que l'agitation du langage mental dominé par les dualités est apaisée.

6 – La conscience spirituelle rayonnante et régénératrice qui enfante le moi individuel à la perfection de sa nature supra-consciente.

7 – La supraconscience éternelle et infinie, silence de la béatitude dans l'authenticité parfaite de l'Absolu.

---

[87] Mâ Sûryânanda Lakshmî, *Exégèse Spirituelle de la Bible, Apocalypse de Jean*, Neuchâtel (Suisse) : À la Baconnière, 1975, p. 82, ainsi que dans de nombreuses conférences données en Suisse et en France.

APPENDICE

J'ai trouvé, oui j'ai trouvé la richesse,
le joyau de Nom divin
MiraBai

Les faces de l'Éternel ?

Dans la Bible en hébreu le terme *faces* est toujours au pluriel. Lorsqu'il s'agit de l'homme on peut y voir l'expression que l'homme a de nombreux visages, de nombreux personnages en lui-même. Mais lorsqu'il s'agit de Dieu que peut-il signifier ?

Dans le texte original Dieu a plusieurs noms. Parmi eux les deux noms en très grande majorité les plus cités sont *IHVH* et *Elohîms* et très souvent ils sont associés, tels que « *IHVH nos Elohîms* » ou simplement « *IHVH-Elohîms* ». La terminaison du nom *Elohîms* exprime un pluriel[88], mais le verbe utilisé avec ce sujet est toujours au singulier dès lors qu'il désigne le Dieu du peuple hébreu[89]. Pourquoi ces deux noms dont l'un est au pluriel associé à un verbe au singulier, et quel est leur sens ?

Les linguistes voient dans le pluriel de ce nom *Elohîms* une marque de « superlatif intensif » ou de « pluriel de majesté », ce qui dispenserait de mettre le verbe au pluriel. Nous voulons bien l'admettre, mais s'agissant d'un texte sacré il paraît normal de s'interroger plus à fond sur cette tournure originale et l'appréhender

---

[88] Ce pluriel est rendu en français en ajoutant un « s », tout comme l'a fait A. Chouraqui.

[89] Par contre lorsque la Bible veut parler des idoles, qu'elle nomme les Dieux des autres peuples, elle utilise ce même mot Elohîms mais avec un verbe au pluriel.

de manière plus vaste que ne le font nos raisonnements intellectuels, si savants soient-ils. Quant à ce double nom, pourquoi ? Là encore nous verrons que s'il existe une réponse des exégètes qui peut paraître satisfaisante, en réalité elle ne l'est qu'en apparence.

C'est dans le fameux passage du Deutéronome 6:4 – profession de foi de tout juif croyant – que nous pouvons trouver une première réponse. Ce passage, transcrit mot à mot depuis l'hébreu, dit ceci :

Écoute Israël : IHVH, nos Elohîms, IHVH, Un.

Voir dans ce « *Un* » le fait que ces deux noms désignent le même Dieu est un premier niveau de compréhension, mais nous pouvons aller plus loin. Il faut y chercher une signification sur la nature même du Divin :

Il est *Un*.

Cela exprime beaucoup plus que la notion très familière d'un Dieu *unique*. En effet selon le sens que le dictionnaire donne à ce terme, cela laisse entendre une comparaison, donc l'existence de quelque chose extérieur à Lui, ce qui serait paradoxal car si Dieu est *Un* Il ne peut être également que *Tout*, logiquement.

En même temps que l'Unité, ce verset exprime la multiplicité du Divin par ce nom *Elohîms* au pluriel. D'ailleurs il n'est qu'à observer la vie sur la terre pour voir concrètement cette diversité et multiplicité de la création dans l'unité. Ceci est confirmé pleinement par les « sciences de la vie ». Ce que la science actuelle nous dit, les anciens Hébreux le savaient déjà puisque la Bible nomme toujours la *vie(s)* au pluriel en associant ce mot à un verbe au singulier. Elle exprime ainsi cette unité et pluralité de la vie(s). Ainsi la multiplicité *des faces* de l'Éternel est en totale cohérence à la fois avec la création et la façon dont le nom de Dieu est exprimé. Là est sans doute le génie de la langue hébraïque qui sait nous faire sentir de façon simple, et en seulement deux mots, quelque chose de la Vérité divine.

Quant à ce double Nom n'a-t-il pas autre chose à nous révéler ?

Pour l'expliquer plusieurs pistes ont été explorées par les exégètes. La réponse la plus couramment admise serait que deux traditions, l'une issue du polythéisme et l'autre plus strictement monothéiste, se seraient fondues dans le texte biblique que nous connaissons aujourd'hui. Cette explication semble tout à fait plausible, mais elle s'interroge sur les conditions de rédaction du texte et non pas sur le texte lui-même. Aussi, si elle apporte quelques satisfactions sur le plan intellectuel, qu'apporte-t-elle à l'âme assoiffée de connaître Dieu ? Elle ne la comble vraisemblablement pas car si Dieu révèle Son Nom c'est pour se faire connaître et pour se faire aimer des hommes. N'est-ce pas aussi comme cela qu'agissent les hommes entre eux ? Par ailleurs cette réponse des exégètes n'explique pas pourquoi dans tel passage c'est *IHVH* qui est utilisé alors que *Elohîms* se retrouve dans d'autres, sans que l'on comprenne bien le sens de cette alternance.

Si nous nous souvenons que « pour les Sémites le nom est identique à la réalité qu'il désigne »[90] nous pouvons envisager une réponse qui nous est donnée dans la vision du *buisson ardent,* au chapitre 3 du livre de l'Exode. Du sein de sa vision Moïse pose, au nom des fils d'Israël, la question : *Quel est Ton nom ?*

---

[90] A. Chouraqui, dans *Le Coran, op. cit.*

La réponse lui est donnée en deux temps. Il est d'abord dit au verset 14 :

Je suis qui Je serai.
Tu diras ainsi aux fils d'Israël : Je suis, m'a envoyé vers vous.

La formule hébraïque utilisée pour exprimer cela (אֶהְיֶה אֲשֶׁר אֶהְיֶה) est difficile à traduire en français. Si l'on s'en tient à une traduction littérale, plusieurs autres façons d'en rendre compte restent possibles : *Je serai qui Je suis, Je suis celui qui suis, Je serai comme Je suis, Je suis parfaitement Je suis, Je serai en tant que Je suis, Je suis en tant que Je serai, Je suis lequel Je suis ...* etc. Aucune prise individuellement n'en épuise le sens, mais prises toutes ensemble elles révèlent, ô combien, l'Éternité de l'Être. Alors peut-être qu'une traduction libre serait mieux à même de rendre compte de l'esprit de cette célèbre formule, par exemple :

Je suis Cela qui est,
ou *Je suis l'Être immuable,*
ou *Je suis l'Être éternel.*

Puis la réponse est complétée au verset 15 :

Tu diras ainsi aux fils d'Israël :
IHVH, Elohîms de vos pères, Elohîms d'Abraham, Elohîms d'Isaac
et Elohîms de Jacob, m'a envoyé vers vous.
Voici mon Nom pour toujours.

Dans cette révélation de Son nom donnée à Moïse par ces deux versets n'est-il pas possible de voir quelque chose de plus que la simple juxtaposition des deux textes d'origine différente ? Ces noms ne peuvent-ils pas nous révéler quelque chose de Dieu ?

Le recours à un éclairage extérieur à la tradition judéo-chrétienne peut nous être une aide très précieuse. En effet, si la nature du Divin est *Une* et si la Vérité divine est également *Une,* il apparaît logique qu'elle se retrouve dans plusieurs textes sacrés de par le monde si on considère ces révélations à leur sommet.

Ce que la Bible a exprimé dans ce passage, la Sagesse hindoue selon le Vedanta[91] l'exprime d'une autre manière : Dieu est à la fois « Le sans-forme (ou Absolu-Brahman) » et « Avec-forme (ou Dieu personnel et Puissances exécutrices) ». Il est tout à fait remarquable de retrouver très exactement ces deux aspects dans le texte hébreu.

Le nom de *IHVH*, formé de quatre lettres en hébreu (יְהֶוָה), représente un arrangement particulier et complexe du verbe *être.* Selon Abraham Ibn Ezra[92] « ces quatre lettres rendent compte à la fois du passé, du présent et du futur ». Ce nom synthétise en quelque sorte le début du verset 14 et se réfère à l'Être ou à l'Absolu. L'Être « en tant que ce qui n'apparaît pas, mais qui se manifeste dans l'étant »[93] est équivalent à la notion du *sans-forme.* Remarquons que dans la tradition juive, comme en écho à cela, ce nom du *sans-forme, IHVH,* est considéré comme ineffable, donc ne doit pas être prononcé car le prononcer ce serait déjà lui donner une forme[94].

---

[91] Doctrine métaphysique issue des écritures sacrées hindoues. Elle était au départ centrée sur la non-dualité, en particulier dans l'Advaïta-Vedanta, donc équivalente au « monisme » en Occident.

[92] Rabbin andalou du XIIe siècle. Il est considéré comme l'une des plus éminentes autorités rabbiniques médiévales.

[93] Hannah Arendt, dans *Journal de pensée*, Paris : Le Seuil, 2005, p. 931. Elle reprend ici la pensée de Heidegger.

[94] Lors de la lecture ou la récitation de la Bible il est alors remplacé par un autre nom : *Adonaï.*

Après ce nom de l'Absolu ou du *sans-forme*, le verset 15 ajoute l'expression *Elohîms de vos pères, Elohîms d'Abraham, Elohîms d'Isaac et Elohîms de Jacob,* qui évoque très clairement le *Dieu personnel,* c'est-à-dire *avec-forme.* Le Dieu personnel est celui que chacun peut prier et adorer, car il faut bien reconnaître que chaque homme a une vision et une compréhension particulière du Divin, d'où ce nom *Elohîms* mis au pluriel.

Cette compréhension singulière des hommes, donc multiple, n'empêche aucunement que Dieu soit toujours le même et demeure à jamais *Un*. Mais pourquoi dans le verset 6:4 du Deutéronome, ce nom de l'Absolu est répété et encadre le nom du Dieu personnel (*IHVH – nos Elohîms – IHVH)* et non l'inverse ? Ceci n'est pas qu'un simple effet de style, ou mis comme cela par hasard, mais porte en soi une révélation. Cette forme particulière nous révèle que rien ne peut encadrer ou limiter l'Absolu : Il est le commencement et la fin de toute chose. Nous retrouvons ici ce que Jésus a dit : *le Père est plus grand que Moi*[95].

Mais, comme l'enseigne Mâ Sûryânanda Lakshmî, l'homme a besoin de passer par le Dieu personnel, car l'Absolu ne peut être connu directement. C'est ce que Jésus révèle lorsqu'il dit : *Nul ne vient au Père que par Moi*[96]. Ici il très important de comprendre que ce « Moi » ne se réfère pas à une personne, donc n'est aucunement limité ni exclusif, comme le pensent trop souvent les chrétiens. Une telle pensée doit être corrigée car « Elle trahit le cœur même du message de Jésus. Donner à Jésus l'exclusivité de la plénitude divine, c'est en priver tout le reste des humains. »[97]

---

[95] Jean 14:28.
[96] Jean 14:6.
[97] Pierre Genod dans *L'Absolu de ma quête,* Éd. Persée p. 199.

Comme, selon le Vedanta, le *Dieu personnel* est également *Puissances exécutrices* nous pouvons trouver là une explication sur la manière dont l'Ancien Testament utilise ces deux noms en fonction du contexte. Pour illustrer cela nous ne prendrons qu'un seul exemple, et non des moindres, mais d'autres pourraient être cités. Par exemple il apparaît logique que dans le récit de la Création (chapitre 1 de la Genèse) seul le nom *Elohîms* soit utilisé puisque ce récit exprime typiquement une action de puissance créatrice et exécutrice[98].

Cette révélation du Vedanta est similaire à ce qu'a dit Edward Leigh dans son *Dictionnaire hébraïque*[99]. Le nom IHVH « marque son Éternité et son existence : son Éternité parce qu'il comprend en Lui toutes les différences de temps, l'avenir, le présent et le passé ; son existence parce qu'il dérive d'une racine qui signifie être, car Dieu est son être en soi-même et par de soi-même, et communique à toutes les créatures tout l'être qu'elles possèdent. » Et puis « Elohîm désigne une certaine relation de Dieu aux créatures, car il marque l'empire et la puissance de Dieu, l'autorité et la force qu'il déploie dans le monde. De là vient que Dieu au commencement de la Genèse, où Il parle de la création, s'appelle non pas Jehovah[100] (IHVH) mais Elohîm. »

Cette révélation du *Nom* donné à Moïse donne une clef pour mieux comprendre cette multiplicité dans l'Unité des faces de l'Éternel. Nous voyons aussi qu'il y a une profonde convergence entre cette révélation, l'enseignement de Jésus et celui du Vedanta.

---

[98] Cet aspect de Puissances exécutrices se retrouve également dans le nom de IHVH-Sabaot, qui est généralement traduit par Dieu-des-armées.

[99] Traduit en français par Louis de Wolzogue à partir de l'original en anglais. Édition de 1712. La première citation est tirée de la préface de cet ouvrage, la seconde de la rubrique sur le nom Elohîm.

[100] Ce terme est simplement une transposition phonétique en français de IHVH.

N'oublions pas cependant que si les textes bibliques et védantiques nous apportent une certaine lumière sur la Vérité de Dieu, cette compréhension reste toujours infime par rapport à ce qu'Il est, comme le dit Shrî Râmakrishna : « Dieu est sans-forme et Il est aussi avec-forme, et encore au-delà de la forme, et de ce qui est sans forme. Lui seul sait ce qu'Il est. »[101]

Il est merveilleux de constater que comprendre de cette manière le texte biblique rend très bien compte de la diversité des religions et sagesses du monde, tout en affirmant leur unité. La multiplicité est parfaitement exprimée dans les religions dites *polythéistes* ; malheureusement l'on ignore trop souvent qu'elles ont en général conscience de l'Unité divine au-delà de la multiplicité des Dieux invoqués. Par exemple, il est un fait reconnu, notamment par les spécialistes de l'Inde, que pour les hindous Dieu est *Un* sous les multiples noms et visages adorés. D'un autre côté les religions dites *monothéistes* se prétendent être les seules garantes d'une vision de l'unité et de l'unicité divine. Toutefois le Christianisme admet explicitement dans sa conception de la Trinité que Dieu puisse avoir trois visages. Dès lors, marquer une séparation, voire une opposition, entre ces deux grandes catégories de religion n'est guère justifié. Prétendre en outre que les religions monothéistes seraient plus avancées, donc supérieures, l'est encore moins. Cela d'autant plus que la Bible elle-même révèle très clairement, et en toutes lettres, cette unité-multiplicité du Nom divin. S'efforcer de le voir ne rendrait-il pas la lecture de la Bible plus féconde et ne serait-il pas, aussi, un levain pour un œcuménisme plus universel et plus vrai, source d'une fraternité plus efficace entre les peuples ?

---

[101] Dans *L'enseignement de Râmakrishna*, Paris : Albin Michel, 1972. Romain Rolland a fait une excellente biographie de ce grand Sage hindou, considéré comme l'un des plus grands Sages de l'époque moderne (1836 -1886).

Sommaire